CLICHÉS
nouvelles

DU MÊME AUTEUR

ROMANS — NOUVELLES

Un amour maladroit, Paris, Gallimard, 1961
Les infusoires, Montréal, Hurtubise HMH, 1965
La femme de Loth, Paris, Laffont, et Montréal, Hurtubise HMH, 1970
New Medea, Montréal, Quinze, 1974
Charles Lévy, M.D., Montréal, Quinze, 1977
Lot's wife (La femme de Loth), traduit du français par John Glassco, Toronto, McCelland and Stewart, 1975
Portrait de Zeus peint par Minerve, Montréal, Hurtubise HMH, 1982
Sara Sage, Montréal, Hurtubise HMH, 1986
Boomerang, Montréal, Hurtubise HMH, 1987

POÉSIE

«Poèmes», Montréal, *Écrits du Canada français,* No 15, 1963
Jéricho, Montréal, Hurtubise HMH, 1971
Schabbat, Montréal, Quinze, 1978

OEUVRE DRAMATIQUE

«Le cri de la folle enfouie dans l'asile de la mort», Montréal», *Écrits du Canada français,* No 43, 1981

MONIQUE BOSCO

L'arbre

Le Conseil des Arts du Canada
a accordé une subvention pour
la publication de cet ouvrage.

Maquette de la couverture:
Olivier Lasser

Photocomposition:
TYPOFORM, Québec

Éditions Hurtubise HMH ltée
7360, boulevard Newman
Ville de LaSalle, Québec
Canada
H8N 1X2

Téléphone: (514) 364-0323

ISBN 2-89045-843-1

Dépôt légal/ 3ème trimestre 1988
Bibliothèque Nationale du Canada
Bibliothèque Nationale du Québec

Imprimé au Canada

Table des matières

La dame-oiseau

Elle avait retardé son entrée à l'hôpital, aussi longtemps que possible. Elle cachait cette douleur — mais était-ce une douleur ? À force d'y penser, elle s'avouait que non, le mot douleur était un bien grand mot pour s'appliquer à cette gêne — aiguë — lancinante parfois. Et qui logeait où, dites-moi ? sinon dans cette zone secrète du bas-ventre où l'on ignore, dans le monde profane, quels organes s'y cachent et pour quelles fins.

Elle n'avait pas eu d'enfant, ne s'en consolait pas. Pas d'enfant en son giron, là où logeait, à l'aise, cette douleur. Mais ce n'est pas une douleur — se répétait-elle —. Disloquant le mot: dou-leur. Ce doux était leur, à eux, ces rares amants, fragiles, délicats, qu'elle laissa pénétrer en elle, feignant un plaisir, un désir jamais éprouvé, sauf en ces rares matins où une nausée, un malaise, un retard de quelques jours lui paraissait augurer la grossesse tant attendue. Eux mouraient de peur. Car, au début, elle eut la sottise de les en aviser.

«Que vas-tu ?» Ils se reprenaient vite «Qu'allons-nous décider ?» Décider ? Elle éclatait de rire. Comment leur dire que, depuis l'origine, c'était décidé. Elle n'avait gardé de son éducation première que ce seul tabou: on ne faisait l'amour que pour «procréer», faire des enfants.

«Pourquoi, forcément, hors mariage ?» se lamentaient ses nombreuses amies. Entre elles, régnait une complicité remontant à l'enfance, aux premières expéditions dans les vergers pleins de fruits verts, aux interminables rondes sur les lacs gelés.

Entre elles, pas de secret. Elles s'étaient juré de partager la moisson des confidences. Elles se bousculaient, s'arrachant la parole, encaissant mises en garde, conseils et recettes. Mais le secret s'était quand même installé. Comment maintenir cette connivence de l'enfance, où elles avaient «tout» partagé, desserts et tartines, sans oublier des confidences scabreuses sur les exploits du «beau Michel». Elles en furent «folles» entre treize et quinze ans. Folle du beau Michel ? Elle en doutait, dorénavant. Plutôt, elle voulut faire comme les autres et comme les autres raconta, en forçant la note, comment il la «tassait» de près, après la séance du cinéma de quartier. Là, elle se pâmait surtout sur la beauté de Robert Taylor, le charme de Clark Gable.

Le beau Michel, inaccessible étoile de hockey amateur, bâti en force et en blondeur, aux yeux bleus à rendre jaloux le ciel, lui proposa de devenir sa «blonde». Elle ne l'avait pas raconté. Par pudeur, modestie. Pourquoi se vanter ? D'ailleurs, elle soupçonnait qu'aux autres, aussi, il avait fait des propositions identiques. Il devait rire sous cape. Par hasard, des années plus tard, elle apprit qu'il n'en était rien. Elle seule fut préférée, choisie. Elle, choisit ses amies.

«Tu es folle, ma parole.» On le lui modula sur tous les tons, pendant des années.

«Mais que veux-tu ?»

Honnêtement, elle aurait pu répondre: «rien.» Comment faire pour «vouloir», avec âpreté ?

Quelques années plus tard, on l'aurait classée parmi les anorexiques. À l'époque, on se contentait de dire qu'elle avait un petit appétit. Cette déficience lui faisait appréhender le moindre obstacle. Les autres savaient, décrivaient, détaillaient avec un luxe de détails extraordinaire quel serait leur destin. Avec patience, violence, générosité, elles se mettaient en chasse. Quête forcenée aboutissant à la victoire proclamée. Orgues et marche nuptiale dans la grande église du quartier. D'avoir à franchir ces quelques pas, au bras de son père, afin de repartir, «pour la vie», en compagnie d'un jeune homme sensible et honnête lui levait le coeur.

L'impossibilité du choix, elle l'éprouvait jusqu'à la nausée, au vertige.

Enfant, elle adora le mystère de l'incarnation. Tout lui sembla parfait dans cette histoire. La vierge sage. La visite de l'ange. Puis, neuf mois plus tard, dans la crèche glaciale, la venue de l'enfant-dieu par cette journée neigeuse de décembre. Oui, c'était bien. Elle ne s'encombrerait pas d'un géniteur pathétique et encombrant. Seule, elle goûterait au fruit défendu. Merveille du fils. Elle partagerait son secret avec une colombe, à la rigueur. Elle brodait autour de ce motif. Elle en fit des histoires, contes bleus et roses pour enfants sages. Elle les illustra. Vers trente ans, par défi, elle les porta chez un éditeur qui poussa des cris de joie, fit venir rédacteurs et employés en agitant ses maquettes sous leur nez: «Voilà ce que je cherche. Depuis des mois. Personne n'a compris ce que je voulais. Voilà le créneau rentable à prendre, je vous en fiche mon billet.»

Elle fut surprise et presque déçue de cet étonnant enthousiasme. Elle regardait ses dessins, d'un oeil sidéré. «Trop de mollesse. De mièvrerie. Forcez le trait.» On le lui avait dit, sur tous les tons aux cours de peinture des Beaux-Arts. Et cet énergumène ne croyant qu'au fric et à la rentabilité se précipitait pour lui signer un contrat qu'elle ne prit pas la peine de lire. Certes, l'entreprise fut rentable, pour elle comme pour lui. En ce domaine d'édition où les monstres, venus de toutes les planètes, se faisaient des guerres à n'en plus finir pour emporter l'étoile du «meilleur vendeur», elle régna vite, solitaire. Les enfants, excités, continuaient à réclamer des monstres, des robots-monstres s'agitant lourdement, implacablement, écrasant tout sur leur maladroit passage, modernes dinosaures, équipés d'armes secrètes et mortelles. Les mères, sérieuses, inébranlables ne cédaient que pour la forme, exigeant en contrepartie la lecture de ses livres à elle, «romantiques histoires aux belles images, où de nouveaux enfants modèles s'illustraient par leurs vertus.» Elle fit fortune. Cela lui paraissait injuste. C'est aux enfants qu'elle désirait plaire, eux qu'elle voulait fasciner. Réaliste et moqueuse, elle savait bien que le fils qu'elle aurait aimé avoir mépriserait ses histoires et préférerait *Tintin au Tibet* ou *La guerre des étoiles*. Désormais, sans y croire ni jamais plus se faire d'illusions, elle livrait la marchandise à dates fixes. Équitablement, ainsi le voulaient les lois du marché, elle distribuait les «grands rôles» entre filles et garçons. Avec le féminisme militant des nouvelles mères elle se plut à accorder les vertus viriles et les talents martiaux aux filles. Les garçons — à eux allait toujours sa préférence — modestes petits Chopin ou Mozart en herbe jouaient de la flûte au bord des rivières, charmaient bêtes et oiseaux, et «le soir, parfois, un choeur dansant de jeunes filles.» Elle se rappelait ses émois d'adolescente et les histoires se déroulaient sans anicroche.

Des «histoires». Elle, par contre, n'en avait plus. Les hommes de son âge, pressés, mariés, ambitieux représentaient un danger. Davantage s'ils étaient célibataires, car, alors, ils brûlaient de «régulariser» — devant M. le Maire au moins — la plus anodine liaison. Et les «cinq à sept» de *Back Street* appartenaient à une littérature de catastrophe où elle choisissait de ne pas s'aventurer. Il y eut quelques garçons, très jeunes et fous, paumés de la drogue, pâmés par son «genre à part». Ils prétendaient qu'elle était aussi «marginale» qu'eux. Droguée de mots et d'idées folles. Tous brûlaient d'enflammer cette femme «inaccessible». Car ils avaient entendu parler d'elle depuis leur tendre enfance. Leurs mères devaient bien regretter leurs indiscrétions. Mais, gentiment, elle finit par tous les écarter.

La solitude totale. Solitude du corps, entendons-nous. Car pour le reste, elle était très entourée. Et ce corps semblait vouloir se venger de son extravagante propriétaire. Elle lui avait «chipoté» la nourriture, à l'adolescence. Elle lui avait refusé l'épanouissement sexuel durant son «éternelle jeunesse». Maintenant, il semblait vouloir faire des siennes. Des années auparavant, elle avait suivi des traitements de fertilité. D'un air gêné, son gynécologue parla de la nécessité d'une vie régulière. Il insistait, mal à l'aise. «L'amour, souvent. Avec le même partenaire. Régulièrement. Voilà le seul traitement vraiment efficace.» Pour la forme, il prescrivit quelques hormones. Elle les prit, sans y croire. Nul miracle n'eut lieu. Maintenant, où elle se sentait à nouveau légère, pure, résignée, son ventre donnait les signes d'un tardif épanouissement. Ou plutôt d'une curieuse maturation-évolution. Elle se moquait d'elle-même. «À force d'histoires de sorcières et de bonnes femmes, je vais me retrouver avec une grossesse nerveuse.» Selon les regards, la perspective des voyeurs, on la cataloguait chez les maigres, les minces ou les sveltes; les squelettiques aussi, pour peu qu'une grippe anodine lui ait fait perdre quelques grammes. De corps, de silhouette, elle était restée semblable. Mais un ventre dur, proéminent l'empêchait de porter ses tenues habituelles. Elle s'acheta des jupes amples, froncées et foncées. Cela ne suffisait pas à «le» cacher.

Horrifiée, elle songea, pour la première fois, à «consulter». Elle remettait, de jour en jour, l'échéance. Souvent, au matin, elle se réveillait dans une flaque de sang. Elle épongeait les dégâts, n'en parlait à personne. Arrivant tôt, sans s'annoncer, sa mère la surprit. «On ne te voit plus nulle part, j'étais inquiète.» De force, elle la traîna chez leur médecin de famille. Tout se ligua pour faciliter son entrée à l'hôpital. Admise d'urgence, on lui trouva une chambre privée. Elle pourrait s'y cacher, elle et son gros ventre. Ce coin de l'hôpital, jadis géré par les soeurs, était réservé aux «bobos» de femmes. Là, venaient se réfugier celles qui devaient subir «la grande opération», également surnommée «la totale» avec des intonations d'outre-tombe.

On était fin avril. Le printemps avait été exceptionnel. Par la fenêtre, de son lit, elle pouvait voir les lilas en fleurs et quelques magnifiques sapins bleus. «Comme si j'étais à la campagne». Un paisible silence régnait. Comme elle, les autres femmes avaient dû refuser la télé dans leur chambre et arpentaient le moins possible les corridors. Mais, en arrivant, elle vit, mi-assise mi-couchée sur un fauteuil roulant, la plus étonnante créature. On la promenait, avec dévotion lui sembla-t-il. «Elle va avoir cent ans» lui glissa, en confidence, une jeune infirmière.

Enroulée dans des vêtements — dont on pouvait deviner à la qualité et au soyeux de l'étoffe qu'ils étaient coûteux — elle ressemblait plus à un épouvantail qu'à un être humain. Aucune chair sur son corps. Le visage, réduit à sa seule ossature, où brillaient d'énormes yeux bleus, fixes. La très vieille femme, demeurée seule, lui adressa de la tête un signe impérieux. Envoûtée, elle s'approcha. Avec une étonnante énergie, la vieille s'empara de ses mains, sans plus vouloir les lâcher. Les siennes étaient glacées. Elle sentit que cette vieillarde cherchait en elle une source de chaleur vitale, avec rapacité. Sous la fixité de ce regard vide elle fut envahie par la terreur. Comme pour l'amadouer, la vieille murmura, de façon audible: «Je m'appelle Mimi.»

Mimi. Elle se crut folle. L'opéra, *la Bohême* de surcroît, dans cet hôpital hanté. Elle s'arracha, de force, à son emprise, poursuivie par les cris de la «vieille folle», furieuse d'avoir laissé échapper sa proie.

Pour se calmer, elle avala quelques cachets, dissimulés dans son sac. Comme les «futures opérées», elle eut droit, à dix heures du soir, à un somnifère. Malgré ses appréhensions, elle dormit donc, presque aussitôt. Mais, avant, par la fenêtre ouverte, elle put sentir les lilas du parc. C'était un soir de pleine lune. Dans sa chambre, l'odeur des fleurs envoyées de partout, plantes en pot, gerbes de roses, arrangements compliqués de fleuristes souvent mal inspirés, lui soulevait le coeur. Morte, embaumée, elle serait semblablement entourée, sans doute. Imprévoyante, elle n'en avait jamais parlé ni à sa mère ni à quiconque. Pas d'embaumement pour elle. Elle s'envolerait. En fumée. Mais elle avait négligé cela. Comme le reste. Elle qui n'avait rien su vouloir ou planifier en sa vie avait évidemment omis de s'occuper de l'au-delà.

«Et demain, ils vont me vider, comme une vieille poule. Reficelée en vitesse. Bonne pour la cocotte-minute. Trop dure et vieille pour rôtir à la broche.»

Presque endormie, déjà, elle jonglait encore avec des images. Henri IV. La poule au pot. Elle en ferait une édifiante histoire.

Elle se souvint, brusquement, de la maison de sa grand-mère. L'été, pendant les vacances, elle y passait souvent quelques jours. Elle avait droit aux «petits plats dans les grands». Gourmande, grande et bonne cuisinière, Mamie préparait avec amour les «festins» qu'elles se partageraient. «Il ne faut rien perdre.» La cérémonie des volailles à plumer, parer, vider lui revint en mémoire. Elle, qui vomissait pour un rien, avait l'impression d'assister à un précis et précieux rituel qu'elle n'aurait voulu manquer pour rien au monde. Sauf la tête, qu'en son honneur elle consentait à jeter, elle gardait tout. Aujourd'hui encore, elle aurait pu dessiner de mémoire la casserole, minuscule, où elle faisait bouillir les pattes. Elle retrouvait, flottant au-dessus de l'odeur entêtante et écoeurante des fleurs, l'arôme des abats, les ailes et pattes passées au-dessus de la flamme bleue du gaz, afin d'arracher toute trace de plumes. Le plus impressionnant était de voir disparaître la petite main blanche et grasse de Mamie, ressortant bientôt, ensanglantée, tirant avec effort la masse des viscères. Les «boyaux» jetés, elle triait avec ardeur les morceaux qui se métamorphoseraient en pâté ou bouilllon. Le foie, «surtout, surtout, ne pas répandre le fiel»; le coeur, le gésier. Le gésier, tout rempli d'un caviar de cailloux qu'il fallait rincer avec soin. La graisse, arrachée par fragments, lui arrachait aussi des commentaires. «Pauvre vieille grosse poule.» Parfois, un chapelet d'oeufs s'y cachait. Sa grand-mère interrompait sa besogne pour regretter qu'on ait tué bêtement une poule, une vraie poule aux oeufs d'or, qui aurait encore pu fournir tant de beaux oeufs frais et couver tant de poussins.» Avec mauvaise conscience, elle la mettait à cuire, maugréant contre la sottise de fermiers mercenaires et ignares.

En l'ouvrant, demain, peut-être trouverait-on ? Mais elle se refusait à penser plus loin. Les cauchemars, aux couleurs violentes et sombres, s'emparèrent d'elle.

Le cri la réveilla. Un cri de bête. Encore sous l'effet des calmants, elle chercha à comprendre si une volière avait pu trouver place sur cet étage. Car c'était un cri d'oiseau qu'elle entendait. Non pas un cri enroué de coq, perroquet ou cacatoès. L'étrange oiseau criait, à intervalles réguliers. Comme pour signaler une catastrophe imminente. Appel à la fois strident et intolérable à entendre. Une angoisse la saisit. Pieds nus, elle se précipita dans le couloir, heurtant une infirmière avec un plateau. Une porte était ouverte. L'infirmière s'y engouffra. Le cri cessa. Il provenait de la chambre de la vieille dame. Métamorphosée par la faim en oiseau hurleur. Piaillant contre un dieu oublieux qui la laissait sur terre sans lui apporter sa becquée. Pierre trahit Jésus trois fois, avant le cri du coq. Elle avait été trahie des centaines, des milliers de fois. La nuit s'achevait. Elle attendait qu'on se souvienne d'elle afin de n'avoir pas à accueillir une aube nouvelle. Le soleil déjà levé, haut dans le ciel, et «rien» ne lui était arrivé. Tant de chapelets. «Seigneur, Seigneur, rappelez-vous de votre servante Mimi.» Mais les Mimi de cette terre, vieilles ou jeunes, sont toujours abandonnées. Elle avait dû boire l'élixir d'éternelle vie, par erreur.

Dans les contes et histoires qu'elle inventait et illustrait, il y avait de semblables malentendus, des métamorphoses innombrables. La centenaire dame-oiseau, ses grands bras, ses jambes interminables, en une ligne, un coup de baguette, elle la transformerait en vénérable cigogne, juchée sur le toit d'une église alsacienne. Fidèlement, chaque printemps, elle retournerait là, apportant avec elle les oeufs magiques de la fertilité. Elle se secoua. Trêve de contes de cigogne ! Dans quelques minutes, la civière serait là. On la traînerait, plus ou moins consentante, vers la boucherie qui se préparait. Elle songea à s'habiller à la hâte, à fuir par la première porte ouverte donnant sur le jardin des soeurs. De là, elle aviserait. Il suffirait de couper le fragile bracelet d'identité plastifié à son poignet pour redevenir une vivante comme les autres. Vivante, marchant à son gré, à sa guise. La dame-oiseau avait recommencé à crier. Voilà ce qui attendait les folles qui ne savaient rien décider — ni fuir quand il en était temps.

Mais il n'était déjà plus temps. Une seringue à la main, souriante, l'infirmière. Sans broncher, elle se laissa faire. Une torpeur bienheureuse l'envahit. Mais elle entendait encore l'étrange cri de douleur et de fureur. Elle voulut parler, expliquer: «Elle s'appelle Mimi.» Mais elle dormait avant d'avoir franchi le seuil de la salle d'opération.

Clichés

Par hasard, en cherchant à compléter sa déclaration d'impôts, elle tomba sur la photo, perdue entre des liasses de lettres et de factures. Volontairement enfouie, autrefois, sous cet amas de vieux papiers. En se voyant, la première fois, sur ce cliché, elle songea à le détruire. Comme on détruit, à la Maison-Blanche, des documents compromettants. Puis, avec une sagesse résignée, elle décida de le garder. À l'époque, elle se croyait assez jeune pour porter les cheveux longs, ramenés en chignon, un chignon soigneusement construit chaque matin. La photo confirmait qu'elle avait eu tort. Cette photo, qu'elle baptisa «la face cachée de la lune», révélait les marques et les cicatrices du temps. Un soupçon de maquillage, une coiffure plus seyante et floue, quelques mèches secourables tombant sur le front, cachant les oreilles, auraient encore pu dissimuler les pires outrages de l'âge.

Qu'avait-elle à dissimuler ? Surtout à autrui ? La rupture avait été éclatante. Cruelle. Après des années de dissimulation et de mensonge, sa vie entière construite sur ce faux amour, elle avait décidé que rien, décidément, ne méritait cet effort quotidien de renflouement.

Désormais, elle sombrerait à pic, avec armes et bagages. Comme le Titanic.

Il lui fallut des années de folie furieuse, solitaire, maniaque et jalouse, pour en arriver à ce constat d'échec.

Par moments, elle s'attendrissait sur elle-même, femme naïve et confiante, croyant à l'amour-passion, au culte d'Éros, à la flamme éternelle entretenue envers et contre tous, malgré les démentis évidents et irréfutables de la réalité.

Toute à son rêve, elle se moquait du reste. On l'avait mise en garde. Elle refusa d'écouter leurs raisonnements bourgeois. Elle avait choisi, croyait-elle, de ne vivre que dans l'intensité du temps et du sentiment. Au coeur le plus fou de l'amour. Certes, elle n'aurait pas les compensations habituelles dont elle ne niait pas la force et l'attirance. Mais elle avait choisi, persuadée d'avoir fait le bon choix, du moins le seul qui lui convienne.

Encore aujourd'hui, elle ne pouvait le regretter. Que regretter ? Tant que sa passion dura — comme une maladie dévorante — elle n'eut que le sentiment grisant d'aller vers un but désirable, à la plus vive allure possible. Tels les skieurs, grisés par la vitesse et la neige poudreuse, fonçant droit devant eux, sans voir précipices ni obstacles. Toujours plus vite. Paralysés, cloués au sol à jamais, pouvaient-ils regretter ensuite la minute d'extase qui les y avait conduits ? Elle en doutait. Elle ne regrettait rien. Au contraire, elle aurait pu, sans doute, aller plus loin, plus vite. Les yeux plus hermétiquement bandés, les oreilles bouchées plus soigneusement. Bouche cousue. Le coeur réellement en péril, à battre si frénétiquement. De cette maladie dégoûtante, elle n'était pas morte. Elle survivait, fragile comme ce fameux et grotesque vase fêlé de Sully Prud'homme. Mais relativement intacte, extérieurement, puisqu'on la félicitait pour son inaltérable jeunesse, sa santé, «rafraîchissante à observer».

Entendant ces fadaises, elle aurait aimé crier de fureur. Certes, elle ne buvait, ne fumait ni ne baisait plus. La belle affaire de survivre à ce prix. La jolie vertu ! Mais, comme les A.A., elle arrêta net «après».

La photo datait d'«après». Quelques semaines ou quelques mois après. Elle était toujours sous la violence du choc.

De s'être imposé à elle-même une si cruelle privation, un tel deuil la laissait insensible. Elle pensait qu'il y aurait des sursauts, fausses ruptures, nouvelles reprises d'autres serments. Mais non. Elle avait tenté de comprendre quelle fameuse goutte d'eau, finalement, faisait déborder le vase. Il lui aurait fallu des notions plus exactes de physique pour le comprendre. Elle préférait se leurrer et croire que certaines passions demeuraient à jamais insondables.

Il était décevant de constater que — comme on le lui avait prédit — tout finissait par finir, mourir de sa petite mort. Par extinction. Un matin, elle s'était éveillée en sachant qu'elle entamait un jour différent. Une étrange alchimie avait eu lieu durant la nuit. Plus jamais, entre eux, il n'y aurait ces rencontres magiques. Plus jamais elle ne réussirait à croire que son «histoire» était la plus belle, la plus exaltante.

Un tel cinéma ! Durant des années, elle ne put en changer le scénario. Elle, là, à l'attendre. Prête à tout laisser en plan pour accourir au premier appel. Révoltante sujétion. Bondissante, le coeur battant, au son de sa voix. Elle incarnait, en ces années de libération des femmes, un déplorable exemple. Il aurait fallu lui faire subir une longue rééducation administrée à la manière des Gardes Rouges. Du jour au lendemain, pourtant, elle s'était «libérée». Impossible, après, de composer son numéro, ce numéro autrefois gravé comme un tatouage, en sa tête. Disparu de sa mémoire. Parfois, le téléphone sonnait. Quand elle ne savait pas qui était au bout du fil, elle tremblait. Les appels, «muets», la laissèrent longtemps pantelante. Pouvait-il s'abaisser à de semblables tactiques ? Elle en chassa l'idée — comme une chrétienne se repentant d'une «mauvaise pensée», «impure». Il ne jouerait pas à ces jeux infantiles. Elle renonça à prononcer son nom, devant autrui, à savoir ce qu'il était devenu, s'il en aimait une autre. Elle préféra tout ignorer. L'amour mort, pourquoi chercher à évoquer des esprits, ombres ou fantômes. Sa folie fut telle que sa sagesse intérieure était un juste retournement des choses, normal mouvement de retour du pendule. Si désespérément sage, qu'elle oubliait que le temps, les mois, les années passaient sans que rien ne surgisse. Elle n'eut pas de convalescence — ni de guérison — juste une totale absence de symptômes violents. Ni crises de suicide ni désirs de vengeance. Transportée, comme par miracle, dans un autre univers. Calme, stable et mortellement ennuyeux. Elle s'était «désâmée» à attendre. Mais ne rien attendre était peut-être pire. Autrefois, elle avait imaginé qu'elle se consolerait avec quelqu'un de plus doux et gentil, merveilleusement romantique. Mais il n'y avait rien eu pour lui faire battre le coeur, accrocher son regard. La vie était étrange, après tout. Bien plus absolue et intransigeante qu'elle ne l'aurait imaginé en sa démente jeunesse. La photo entre ses mains, elle rêvait. Depuis que les hommes y plantèrent leur drapeau, il n'y avait plus de «face cachée de la lune». Elle regardait cette image d'autrefois et ne s'y reconnaissait pas.

Elle se souvenait seulement de son angoisse devant ce portrait d'elle-même, qui lui parut, alors, menteur, sournois, livrant avec indécence une vérité rebutante. Elle n'avait pas osé le détruire. Elle était contente, aujourd'hui, d'y avoir renoncé. Elle se força à scruter, à nouveau, l'offensante image. Alors elle comprit. On voyait là, de façon si évidente que cela touchait à l'obscénité, l'image d'une femme blessée, certes, meurtrie aussi. Mais une femme qui ne mourrait pas, ne sombrerait pas dans la dépression ou la folie. Dans les yeux — et c'était là que se lisait en clair l'essentiel du message — il y avait juste une profonde, inguérissable, intolérable tristesse.

Histoire du petit homme et des deux obèses

Ceci n'est pas une histoire facile ni agréable à conter. Le héros, le «malhéros» est plutôt antipathique. Pas même touchant. Pourtant, il m'a fasciné. Deux pleines semaines de vacances consacrées à l'observer. J'étais mécontent de ce rôle de détective qu'il me forçait, malgré moi, à jouer. Quant à ses protagonistes, en l'occurrence les deux obèses, couple légitime, marié depuis plus de vingt ans, ils m'ont littéralement bouché la vue, assourdi de paroles. Je ne voyais, n'entendais plus qu'eux. Le petit homme en est devenu littéralement fou. Mais je raconte trop vite, et mal. Si grande est ma hâte de me débarrasser d'eux tous. Mauvais début, on l'avouera.

Le petit homme m'a pris pour confident, utile allié contre les «deux monstres», comme il les appelait. Je pourrais donc, tout du long, faire le récit à la troisième personne.

Il était une fois un petit homme... Mais en ce qui concerne son «monde intérieur», il le nommait pompeusement ainsi, je lui céderai la parole, aussitôt que possible. Car je ne veux pas prendre à mon compte ses sentiments racistes et malveillants envers l'humanité, ses préjugés contre tout vivant sortant des «normes». Je peux vous dire, déjà, qu'il était comptable. Pour lui, tout passait par les chiffres, les statistiques. Sans arrêt, je le voyais griffonner, additionner, multiplier, diviser. C'était hallucinant. Surtout à table, à l'heure des repas. Il devait tout prendre en note, le prix de chaque bouchée, grain de raisin, calorie. Je le voyais, penché sur la table. Minutieusement, méticuleusement, il mâchait sa nourriture de façon si répugnante que j'engloutissais au plus vite ce qui se trouvait dans mon assiette. Il m'arrivait de ne pouvoir finir tant je sentais la nausée proche. Eux deux, les obèses, se régalaient joyeusement. Apparemment sans se soucier de nous. Le petit homme — c'est moi qui le surnomme ainsi — se considérait de taille moyenne, «petite moyenne, mais moyenne» évidemment. Le petit homme, donc, les guettait avec rancoeur, cherchant à me prendre à témoin de la goinfrerie des deux autres.

L'hôtel était presque vide. Ce n'était pas la pleine saison et on nous «faisait des prix». On s'occupait aussi, gentiment, des rares clients qui consentaient à prendre leurs repas au restaurant de l'hôtel. Des arrangements avaient été conclus, à l'avance, par le petit homme. On lui servait les menus de régime que son état de santé réclamait. Un mélange d'ulcère d'estomac et de colite chronique. C'était pitié de le voir manger ses bouillies de légumes, purées, compotes, alors que les deux autres dévoraient à belles dents, échantillonnant les plats au menu et à la carte, prenant jusqu'à deux ou trois desserts, avec des garnitures de crème glacée ou fouettée pour couronner le tout.

«Qu'on ne me parle plus de problèmes de métabolisme, d'hérédité, de mauvais fonctionnement hormonal ou glandulaire. Deux goinfres, deux cochons ne vivant que pour bâfrer.» D'ordinaire, le petit homme avait un langage aussi terne que ses tenues, beiges, ton sur ton, avec petite casquette assortie pour le protéger du soleil. Mais pour parler de ses phobies, rancoeurs, préjugés, et même de ses peurs, il élevait le ton. Son vocabulaire se faisait plus corsé. Il gesticulait. Pâle, au repos, il devenait cramoisi quand il parlait d'eux. Eux, bien sûr, c'étaient les obèses. Mais il englobait dans une même détestation, les Juifs, les Noirs, les homo. Les Arabes, n'en parlons pas. Il ruisselait de haine.

J'avoue avoir été fasciné par ce spécimen banal du fascisme ordinaire. Je sortais d'une période très dure et creuse dans ma vie. Ma curiosité trouvait là un exutoire sans danger, du moins je me plaisais à le croire. Une fois, à Venise, j'avais négligé certains musées pour ne manquer aucune des apparitions d'une «dame en blanc» qui dût être fort belle. Elle me fascinait par une mystérieuse qualité d'être. La femme de chambre m'aurait volontiers renseigné sur l'identité de mon héroïne. Je préférais rêver et tout découvrir par moi-même. Cela remplissait les heures creuses des repas, m'empêchait de lire en mangeant; ce qui, comme chacun sait, est à la fois mauvais pour la santé et mal élevé de surcroît. Là, le petit homme me fournissait à satiété en discours virulents. Je lui avais bêtement demandé, une fois, de partager la table qui m'était réservée. Il avait, allégrement, accepté.

Je l'entends encore. Sa voix frêle, affectée, s'enflant outre mesure pour décréter: «Avec leurs puits de pétrole, ils achèteront le pays entier. Ils investissent dans l'immobilier, le commerce. Ils trafiquent les devises, manipulent les hommes au pouvoir. Quand je parle de trafic, je n'exagère pas. Par millions. Les armes, les avions. Rien ne leur échappe.» À lui, une bave légère échappait. Il se couvrait de sueur. Pendant ce temps, il trouvait moyen de haïr les deux autres, à leur table, si manifestement aryens, Nord-américains, que je ne comprenais pas trop. Il me fournit l'explication. Sans que j'aie à la demander. «Roux. Rouges. Regardez-moi ces taches de rousseur. Ma mère avait raison. Rien ne pue davantage que ces peaux-là. Une senteur âcre, animale. À vous lever le coeur.» Il aurait voulu que «j'avoue». Moi, je ne sentais rien, évidemment. Les deux obèses étaient fort roux et extraordinairement propres et soignés. Chaque matin, la dame arborait une nouvelle toilette, de couleur fraîche et claire, admirablement repassée. Son mari, une chemise de coton, différente de celle de la veille.

Comme s'il lisait mes pensées, le petit homme fulminait: «Il faut bien qu'ils se changent. Rien n'est plus acide que la sueur de ces gens-là.» Il n'avait apporté que deux tenues. Il devait laver lui-même, dans le lavabo ou la baignoire, sa chemise en tissu synthétique.

À force de l'entendre discourir d'odeurs, il me semblait que le petit homme, lui, sentait le renfermé, le moisi, le pourri. À écouter ses clichés sur les différents groupes ethniques, des bribes de slogans publicitaires me revenaient en mémoire. Annonces de déodorants, bains de bouche, recettes contre la mauvaise haleine, provoquée par la plaque dentaire ou les brûlures d'estomac. Mon petit homme avait les dents vilaines et son régime montrait assez le délabrement de son estomac.

Certes, je m'en veux. Deux semaines de vacances pour me remettre en forme, la location d'une voiture que je ne sortais jamais du garage; et j'étais assis là, à entendre fulminer un petit homme haineux et envieux, peureux de surcroît. Car cette histoire, vilaine histoire je vous l'ai dit, dès le début, est aussi une histoire de peur.

Cela commença à changer, brusquement. Jusque-là, il avait fait très beau. L'océan était froid mais on pouvait s'y baigner. Le ciel était bleu. Le soleil brillait sans qu'un nuage vienne l'obscurcir. De jour en jour, il faisait plus humide, plus lourd. L'orage devait éclater, sous peu. Les vagues, comme irritées, rejetaient sur le sable encore très blanc, crissant de millions de coquillages, des méduses étonnantes, comme je n'en avais jamais vu. De formes et de textures bizarres, aux couleurs jaunes et verdâtres. J'hésitais, désormais, à marcher pieds nus, sur la grève, à marée basse.

En même temps, l'humeur des obèses sembla changer. Jusqu'alors je les avais trouvés plutôt plaisants dans leur joie bon enfant. Ils se baignaient en poussant des cris de bonheur, flottant sans aucun effort sur l'eau. Les oiseaux de mer, surtout les pélicans, nombreux dans la baie, leur témoignaient du respect, n'osant s'aventurer au milieu d'eux. Je les comparais à des dauphins. Leurs jeux aquatiques me fascinaient. Ils restaient des heures dans cette eau pourtant froide. Ils n'en ressortaient que pour aller se restaurer avec d'énormes «petits déjeuners». Des pyramides de crêpes et de croissants ornaient leur table. Ils engloutissaient le tout, bavardant gaiement, entre eux. Insensibles à nous, aux quelques rares clients de l'hôtel.

Ils étaient vraiment énormes, mais leur démarche, leurs gestes étaient étonnamment légers — gracieux aurais-je dit — évidemment pas à mon compagnon de table! car, depuis peu, on nous installait systématiquement ensemble.

Le petit homme ne se baignait pas dans l'eau salée. «C'est un irritant pour la peau. D'ailleurs, elle est trop froide en cette saison. Cela prend ces baleines pour s'y ébrouer comme des porcs dans leur auge.» Il n'en démordait pas. Lui, à petits pas, marchait le long de la grève, allant et venant, exécutant chaque matin le même trajet. J'étais certain qu'il ne dépassait pas un certain chiffre, compté avec minutie, comme le reste.

Puis il se hasardait dans la piscine. On le sentait frileux, inquiet. Il nageait maladroitement la brasse, la tête hors de l'eau, le cou tendu à craquer. De peur, il évitait de se baigner quand les enfants venaient y plonger. Donc, comme les mouettes sur la plage, guettant des heures un poisson minuscule, il attendait que tout le monde soit parti avant de se risquer à faire deux ou trois longueurs.

Désormais, les obèses ne quittaient plus le bord de la piscine qu'ils avaient dédaignée jusqu'alors. Très calmes, ils semblaient plongés dans la lecture du New York Times ou de Newsweek. Le petit homme enrageait de les sentir là, attendant qu'ils partent. L'heure habituelle des repas était depuis longtemps passée. Parfois, elle ou lui, à tour de rôle, allaient piquer un plongeon dans la mer, puis revenait.

Dans ce duel où il se sentait convoqué, provoqué, le petit homme ne voulut pas abandonner le terrain. En empruntant les marches, prudemment, il se lança. Il était au milieu de la piscine, quand, de chaque côté, les obèses plongèrent. Cela fit un énorme floc. L'eau se répandit à l'extérieur, trempant la serviette et la casquette du petit homme qui les avait laissées sur le bord. Lui, but la tasse. Il sortit, toujours suffocant. J'avais assisté, médusé, à la scène. Ayant retrouvé souffle et voix, il se répandit en injures. Eux, en se dandinant, main dans la main, quittaient le «lieu du crime», innocemment.

«Je vous assure, ils ne l'ont pas fait exprès.» J'essayais de calmer le petit homme. Dans son slip mauve, il paraissait encore plus fluet que de coutume. Je lui prêtai une serviette, l'encourageai à oublier l'incident. Mais les incidents, à partir de ce jour, se multiplièrent à l'envi. J'hésitai d'abord à le croire. Peu à peu la contagion me gagna.

Je crus donc qu'il s'agissait d'une leçon qu'ils voulaient lui servir. Rien ne les obligeait à subir passivement ses injures. Ils les avaient sans doute entendues, dès les premiers jours. Acceptant d'abord en silence — habitués à éveiller une curiosité malveillante. Il avait dû dépasser la mesure, les atteindre de façon assez violente et cruelle pour qu'ils ne supportent pas davantage ses provocations. Je me rassurais ainsi. Me rappelant que les molosses laissent longtemps aboyer l'affreux roquet avant de lui servir l'avertissement d'un coup de patte bien placé.

Ils changèrent du tout au tout. Au début, j'avais été fasciné par leurs mamours. Ils se «minouchaient» tels de jeunes mariés, se parlant avec un air de complicité tendre. J'avais remarqué les énormes quantités de nourriture qu'ils absorbaient, mais ils ne buvaient pas, ou fort peu. Parfois une bière, le midi, un cocktail avant le dîner. Maintenant, à chaque repas, ils vidaient deux ou trois bouteilles de vin blanc. Le ton montait entre eux. On sentait croître une tension, féroce, contenue.

Jusqu'alors, leurs journées étaient consacrées à la pêche, sur le quai qui se prolongeait fort avant dans la mer. Ils en ramenaient les plus belles prises, de superbes poissons qu'ils allaient porter au chef. On les apprêtait pour eux comme pour nous. Au début, j'étais allé les remercier. Ils en parurent étonnés, haussant les épaules avec modestie. Désormais, occupés à traquer le petit homme, ils délaissaient le ponton. De temps à autre, ils lançaient leur ligne, de la plage. Les poissons attrapés, ils jouaient un peu avec. Comme le chat avec la souris. Avant de les jeter aux pélicans ravis.

Le petit homme, méthodiquement, suivait le bord de mer, ramassant des coquillages. Chez lui, m'avait-il dit, il en avait une énorme collection. Il la compléterait, ici, où la moisson était abondante et variée. Les deux obèses s'y mirent avec passion. Bien entendu, la chance les servit. Les quelques spécimens rares, ce furent eux qui les trouvèrent. Le petit homme, jaloux, en aurait pleuré de rage et d'envie. Au bord de la piscine, ils les faisaient miroiter. On les entendait détailler, avec minutie, les beautés de chacune de leurs nacres. Elle lisait, à voix haute, dans une encyclopédie de poche, qu'ils avaient dû se procurer, exprès, les caractéristiques de tel ou tel coquillage. Puis, calmement, elle ou lui, elle le plus souvent, le mettait au creux de sa paume et l'écrasait, sans effort apparent. Avec soin, elle émiettait les débris dans son sac de plage.

Le petit homme ne savait plus où se mettre. Ils les retrouvait, partout, sur son chemin. Il ne mangeait plus rien. Ils le suivaient, monstrueuses ombres doubles, capables de lui cacher le soleil. Ils surgissaient droit devant lui, là où il les attendait le moins. C'était un petit homme plein de manies et d'habitudes. Il les changea toutes, pour les égarer, qu'ils perdent la piste. Leurs chambres étaient au même étage. Ils le suivaient si intelligemment qu'il n'arrivait jamais à les semer. Au moment où il se croyait enfin seul, à l'abri, dans l'ascenseur, surgis de Dieu sait où, ils s'engouffraient avec lui. Sept étages, seul avec eux.

Il m'en faisait des descriptions terrifiantes, de cette ascension commune. Malgré son souffle court, son manque d'exercice chronique, il en était rendu à escalader ses sept étages à pied.

Vous voyez, je suis mal embarqué dans cette histoire. J'avais promis de laisser parler le petit homme et je ne lui donne pas la parole. Je vais essayer, à nouveau. Afin que vous réussissiez à vous faire une idée claire de ce malheureux méchant petit homme, suant de peur, d'angoisse. Bête et futile, mais si malheureux dans sa peau. Une peau d'un jaune bilieux, qui ne prenait pas couleur. Par contre, il avait attrapé des coups de soleil et pelait déjà, par endroits. Il s'obstinait à ne pas changer de chambre. Il ne céderait pas le terrain.

«Même si je dois en crever. Car ils ont juré de m'avoir. Vous devriez les voir, quand ils s'engouffrent avec moi dans l'ascenseur. L'air me manque. J'étouffe. Eux rient. Elle chante, parfois. Vous savez, ces chansons de quand on était petit: «Mon dieu quel homme, quel petit homme». Ils parlent dans une langue que je ne comprends pas. Je jurerais qu'ils l'ont inventée. Cela ne correspond à rien de connu — et je m'y connais, croyez-moi, en baragouins de métèques. C'est un langage codé, inventé par eux, pour leurs mauvais coups. D'ailleurs, aussitôt, lui entre en action. Il arrête l'ascenseur, le bloque entre les étages, fait mine de se tromper. On redescend. On remonte. Ils se rapprochent. Je sens leur souffle dans ma nuque.»

J'essayais de l'arrêter, de lui prouver l'incohérence de son discours. Si c'était vrai qu'il se plaigne à l'hôtel, demande des renseignements sur eux. Porte plainte.

Mais le petit homme était déjà trop perdu, égaré, pour faire quoi que ce soit. Moi je ne sais rien de plus sur les deux obèses, sinon qu'ils commençaient à m'obséder. Il y avait des orages, la nuit. Avec de terribles coups de tonnerre, des éclairs aveuglants. Des vents violents, parfois. La mer démontée. Plus personne ne se baignait. On avait hissé le drapeau orange, puis rouge. Sur le sable un camion de vidanges semblait avoir déversé son trop-plein. Je songeais à partir. J'aurais dû le faire. Moi aussi, je restais fasciné par cette étrange atmosphère de cataclysme. La Floride, si pomponnée, plastifiée en prenait des allures d'île maudite, perdue dans des brumes qui empêchaient de voir devant soi.

Les propriétaires se lamentaient. «La saison sera gâchée. Il en faut peu pour faire fuir les touristes.»

J'étais sur le point de le faire. M'enfuir. La nuit, comme dans mon enfance, j'avais d'horribles cauchemars. Je me réveillais pantelant, en nage. Rêves peuplés de monstres, géants, ogres et ogresses, évidemment. Histoires cannibales, aux affreux festins, où l'on dévorait à belles dents des bébés. Dans des forêts profondes s'agitaient et grouillaient des bêtes sauvages. «Passage de panthères sur quinze milles», avait-on placardé sur la grande route reliant Fort Myers à Miami. De jour, en voiture, cela m'avait fait rire. Là, j'y croyais. Je m'enfonçais dans des marécages où pullulaient les crocodiles. Par milliers, sans cesse, d'énormes vautours nous survolaient. J'étais englué, enlisé. Sans réussir à m'enfuir. Sans pouvoir crier.

Le téléphone sonnait. Au bout du fil, le petit homme, confus, incohérent balbutiait des excuses: «Je suis si heureux de vous savoir là. Si cela recommence, je vous appelle à l'aide, sans fausse honte.»

J'avais eu la bêtise de lui avouer que j'étais ceinture noire de judo et m'entraînais, depuis longtemps, au karaté.

Il était incohérent. Dans la nuit noire, sillonnée d'éclairs, il avait cru voir leurs ombres écrasées contre la vitre de sa chambre. Puis des coups dans sa porte. D'étranges mélopées dans le corridor. Comme si par magie, maléfice, ils cherchaient à l'attirer dehors. Il n'avait plus de glaçons, l'eau de sa carafe était tiède, la chambre suffocante, mais il avait tout barricadé. Il n'en sortirait pas avant le matin — même pour aller se ravitailler au bac à glace derrière l'ascenseur.

Vous voyez, je vais au plus rapide. Il me serait trop odieux de retranscrire, par le menu, ce long appel téléphonique. À trois heures du matin. Je vérifiai l'heure au cadran lumineux de ma montre. Il faisait une chaleur étouffante dans ma chambre. La climatisation était arrêtée. La panne de courant pouvait s'éterniser. J'allai prendre l'air sur le balcon, après l'avoir tranquillisé de mon mieux. Il n'aurait qu'à m'appeler s'il se sentait souffrant. Mais je n'insistai pas et lui fis entendre que j'allais essayer de me rendormir. Je prendrais un somnifère.

«Bien. C'est dommage. J'ai un excellent bourbon. Je comptais le ramener. J'aurais aimé vous en offrir un verre.»

Le petit homme sifflant du bourbon, loin des regards !

Je refusai poliment. Il parut déçu. Et je me rendormis.

Je m'éveillai, plus tard que d'habitude. Il régnait, dans l'hôtel, un étrange silence, coupé de chuchotements frénétiques. Je sentais sur moi les regards insistants des petites serveuses qui passaient, comme des ombres, renversaient des tasses, éclataient en rires nerveux, en soubresauts effrayés.

Finalement, la propriétaire vint me trouver.

«Je tiens à vous avertir. Il y a eu un malheur, cette nuit. Vous savez, votre compagnon. Enfin le monsieur que nous avons installé à votre table — car on le sentait si seul, si malheureux. Il venait ici, autrefois, avec sa mère.»

Elle éclata en sanglots, refusant d'en dire davantage. Son mari s'avança, parla à son tour.

«Le gardien de nuit l'a trouvé. Vers cinq heures. Dans l'ascenseur, bloqué entre deux étages. Entre-temps, le courant était revenu. Mais dans l'ascenseur, il a trouvé ce pauvre monsieur tout recroquevillé dans un coin. En robe de chambre. Déjà froid. On a fait venir la police. L'ambulance. Il était bel et bien mort. Une embolie, a dit le docteur. J'ai contacté sa famille. Tout sera fait comme il le voulait.»

Pas une question dans son esprit. Le médecin avait signé le permis d'inhumer. Une mort banale, classique. On en compte par milliers dans ce paradis des vieillards craignant le froid. Une mort vite camouflée. La victime déblayée. La chambre nettoyée, désinfectée. On pouvait compter sur leur discrétion, pour que les clients ne se doutent de rien. Moi, ils m'avaient prévenu. Par courtoisie. Par prudence aussi, peut-être.

Pas une question. Ni de leur part, ni de quiconque. Je ne dis rien. Pourquoi faire un drame? Aucune mention d'enquête du coroner. Inutile, puisque le petit homme était mort.

Je vous ai dit que cette histoire ne m'est pas agréable à conter. J'y tiens un rôle équivoque et antipathique.

Je bouclai mes valises, rapidement. Comme je bouclerai cette histoire. Sachez seulement que lorsque je traversai le hall d'entrée, bien en vue, assis dans les plus confortables fauteuils, arborant des tenues plus rutilantes que de coutume, les deux obèses sablaient joyeusement le champagne.

Retraite
ou
Au Québec, toutes les femmes se nomment Marie

Jour après jour, la succession des matinées de déprime. Le soleil éclatant, la pluie tombant à torrents ne changeaient rien à son état. Pendant des minutes, longues, interminables, il réfléchissait à son emploi du temps. Impossible de s'aventurer hors du refuge du lit avant de planifier — dans les moindres détails — ses gestes de la journée. Toujours semblables. Peu de gestes à poser. Mais dans l'ordre. Avec méthode. Sinon le reste de la journée serait gâché. Il tenta de se constituer un rituel, afin de combler le temps qui s'étalait devant lui. Comme pour le narguer. Autour de lui, chacun semblait pressé. Courant et se bousculant pour aller plus vite d'un point à un autre. Heureux mortels. Il en soupirait d'envie. Il n'avait que soixante-sept ans et, depuis deux ans, était à la retraite. Amèrement, il déplorait de vivre dans une société qui vous contraignait à vous «reposer» avant que le «vrai temps» n'en soit venu. Ses ancêtres, la mort les avait fauchés debout. Jusqu'au dernier jour, ils avaient «fait leur train», ne s'accordant jamais ni sieste ni grasse matinée.

Lui, comme un bon à rien, était là, mortellement las, à neuf heures du matin, juste bon à soupirer: «la vie est longue, trop longue». Selon les statistiques, il en avait pour des années à traîner ainsi, exempt de maladie grave. Sinon cette douleur morale qui l'étreignait, chaque matin, jusqu'à la suffocation. Parfois, pour passer le temps, il prenait rendez-vous chez le médecin.

«De l'exercice, de la marche, des repas légers, mais variés.» Pour la forme, il prescrivait un sédatif léger, quelques vitamines. À la pharmacie, il les recevait, gratuitement. Il détestait ce ton faussement cordial qu'on prenait avec les «vieux». Il ne se sentait pas vieux, mais défraîchi, hors d'usage. Condamné à fréquenter d'autres malheureux d'âge d'or, pour des pique-niques, des excursions d'une journée. «Passer le temps», «voir du pays», au lieu de gagner sa vie, sérieusement, comme un homme qui se respecte.

Tant qu'il avait travaillé, il ne s'était jamais posé de questions sur la finalité du monde et les raisons de son existence — pas gaie, certes, mais supportable. Ses franges de liberté n'étaient pas difficiles à meubler. À la mort de sa femme, il se sentit perdu.

Elle était morte d'un cancer intestinal. Après des mois de souffrance atroce. Il l'avait «entourée de son mieux», lui répétait-on. Parfois, au matin justement, il se rappelait qu'il n'avait pas manqué un jour de visite. «Si fidèle, si loyal. Merci», soupirait sa femme. Il se taisait, ne détestant pas ces visites qui donnaient un but à sa journée. L'hôpital offrait une variété de spectacles affligeants, mais variés. Souvent attendrissants. Ils en parlaient, entre eux, alors que, depuis des années, ils n'avaient pas échangé trois vraies phrases. Sa femme morte, il ne changea rien dans la maison. Il dormait encore dans le lit jumeau, à côté du sien.

L'assistante sociale du quartier, envoyée par des voisines, crut-il comprendre, essaya de le pousser à «changer de décor», à sortir, pour se faire de nouveaux amis. D'un air engageant, elle expliquait que les hommes étaient rares. Il ne manquerait pas d'occasions pour meubler sa vie, à défaut de son logis.

Il l'écoutait. Surpris, horrifié, envahi par une nausée. L'idée de «recommencer» lui paraissait dérisoire. Durant quarante ans il avait tout partagé, quotidiennement. Pourquoi lui imposer un absurde recommencement? On ne recommence jamais rien de façon harmonieuse. Leurs débuts furent laborieux avant d'en arriver à ce compromis vital, qui les avait maintenus à flot. Marié, soutien de famille (quoique sans enfants!) il se levait pour aller travailler, sans trop d'angoisse. Sa femme le respectait, s'ingéniant à lui rendre départs et retours agréables. Le matin, l'arôme du café et du pain grillé, des oeufs au bacon; le soir, en rentrant, la soupe aux légumes fraîchement faite.

Aujourd'hui, il s'apercevait de l'importance que cela avait pris dans sa vie. D'avoir à décider des achats, seul, dans l'immense supermarché, le rendait physiquement malade. Il essayait de «copier», cherchant à voir ce que les autres choisissaient. Inutile. Il ne saurait jamais cuisiner, apprêter ces rôtis roulés, éplucher ces légumes étranges. Par pudeur, sans doute, sa femme cuisinait seulement quand il n'était pas là.

«Sors de ma cuisine», ordonnait-elle quand il cherchait à la surprendre en train de «fricoter».

Bien sûr, il y avait le restaurant du coin. Il y allait, parfois. C'était cher. Il avait des brûlures d'estomac, après. La fausse cordialité de la serveuse, une grassette femme entre deux âges, — à qui l'on prêtait d'innombrables amants — lui paraissait artificielle. Il se sentait encore plus seul en sortant. Après avoir ingurgité le menu de la «table d'hôte» , lourd, mal à son aise, il lui fallait se lever pour rentrer chez lui. La soirée paraissait encore plus longue, après. Et il dormait mal en faisant des cauchemars. Il essayait de se souvenir des longues soirées en tête-à-tête avec Mariette — car ils sortaient fort rarement. Ils regardaient la télé, ensemble, sans presque se parler. Mais Mariette, de temps à autre, l'obligeait à donner son avis.

Chacun son tour. Pour elle, les téléromans, pour lui, les sports. Loyalement, ils ne s'empêchaient pas d'écouter. Avec bonne grâce, quand l'occasion le commandait, impérieusement, ils vibraient à l'unisson.

En y repensant, des larmes lui venaient aux yeux. Tant d'heures, côte à côte. Elle tricotait «pour ses petits vieux», faisait des patiences. Après le téléjournal, ils prenaient une collation. Lait froid et petits biscuits, confectionnés par elle. De l'entendre dormir, à son côté, lui procurait une sorte de paix. Elle, malgré son «bon sommeil», au moindre malaise, indigestion ou rhume, se levait pour lui, le soignant avec dévouement et compétence, des nuits durant. Elle avait des recettes pour tout. À base d'herbes, de tisanes et d'onguents. Elle ne plaignait pas sa peine ou ses pas pour renouveler bouillottes ou compresses. Il avait toujours été admis, entre eux, qu'il «partirait» le premier. Elle tablait sur la longévité de ses ancêtres, la vie quiète et saine qu'elle menait «grâce à lui». Il avait tout préparé pour lui assurer un veuvage confortable. Le sort en avait décidé autrement. Comme chacun sait, les veufs meurent ou se marient dans l'année ! Il ne se décidait pas à passer à trépas. Même les marieuses les plus retorses comprirent qu'elles perdraient leur temps.

Il avait donc à survivre, péniblement. Dans leurs plans communs, la retraite devait fournir mille occasions agréables. Elle en parlait sans cesse, avant. «Quand tu seras à la retraite» — la liste était longue des activités et loisirs qu'ils partageraient. Vacances d'été, d'hiver. Excursions en forêt. Et des cours, aussi, pour tenter de façon raisonnable et cohérente, de comprendre le monde où ils vivaient.

Par hasard, dans un placard, il tomba sur les beaux cahiers à spirale qu'elle avait achetés pour y prendre des notes. Elle avait même inscrit son nom et le sien sur la page de garde et l'étiquette de la page couverture. Il vit là un message d'outre-tombe. Comme si, prévoyant son marasme, elle l'encourageait à poursuivre. À ne pas abandonner ce projet. Il fit des recherches pour trouver «le» cours qui leur aurait convenu à tous deux. Devant l'abondance des possibilités, il fut pris de vertige. Sans aucun examen, un extraordinaire éventail de programmes, conçus pour les adultes, était offert. Des origines de l'humanité jusqu'aux guerres des étoiles les plus sophistiquées. Cours de langues, civilisations anciennes, initiations aux mathématiques ou aux sciences occultes.

Il choisit un cours d'introduction aux sciences sociales.

Au moment de quitter la vie active, il serait amusant de découvrir les rouages de cette société dans laquelle il avait vécu, dans l'ignorance. Cela l'amusait, l'espace de quelques heures, de redevenir écolier, prendre des notes, remettre des devoirs.

Il inspectait les autres élèves. Peu à peu des groupes se formaient, se retrouvant à la pause-café, commentant le cours, la performance du prof. Il la trouvait ravissante, cette jeune sociologue, dans la trentaine. Son trac, son désir de communiquer son savoir la rendaient fébrile. Sa voix montait quand elle entendait des chuchotements dans le fond de la classe. Des questions lui étaient posées avec une agressivité soigneusement camouflée — mais pourtant évidente.

Elle essayait d'y répondre avec tact, acceptant l'idée que son «savoir théorique» puisse être dépassé par leurs «expériences vécues dans le monde du travail.»

Un jour, malgré sa timidité, se sentant à la fois ridicule et maladroit dans ce nouveau rôle de redresseur de torts, il s'interposa. Sa propre voix lui parut anormalement haute tandis qu'il affirmait la nécessité de comprendre les rouages économiques et syndicaux du monde du travail de façon objective. «Comme les gens de mon âge le savent bien, nous avons été manipulés facilement», conclut-il, «nous les ignorants, les non-instruits.»

Cette déclaration jeta tout le monde dans un profond malaise.

Une «dame» (il ne trouvait pas d'autres qualificatifs pour la définir) qui jusqu'alors ne lui avait pas prêté attention, remarqua sa présence, à cette occasion.

Voilà comment le destin se charge de vous! La dame le prit en main. Il devint son interlocuteur favori. Plus question, pour lui, de se mêler aux autres groupes, aux heures de la pause. Elle l'en empêcha, avec autorité et assurance, le «prenant sous son aile».

«Vous et moi». Presque toutes les phrases de la dame commençaient ainsi. Comment avait-elle réussi à savoir tant de choses sur lui ? Il s'en effarait. D'elle, il ignorait tout, sauf ce qu'elle s'arrangea pour lui laisser savoir. D'autorité, elle le traîna dans des réunions, colloques. Elle semblait tout savoir, connaître. Idées, choses et gens. Elle l'ahurissait de paroles. Quand elle l'interrogeait, il se contentait de marmonner: «En effet. Comme vous dites...» laissant immanquablement sa phrase en suspens. Il lui fallut seulement quelques semaines pour «lui mettre le grappin dessus». Il s'en étonnait, mais comprit vite que toute résistance était inutile. Aussi bien se rendre de bonne grâce.

Les marieuses avaient eu tort. Il était une proie facile, malgré les apparences. Quand elle comprit qu'elle l'avait «gagné» au loto du mariage, elle se fit encore plus astucieuse. À tout propos, elle le consultait.

Elle lui fit des confidences — voilées et explicites à la fois — sur sa vie d'avant son veuvage. Car «son époux était mort, voilà peu, laissant tout à vau-l'eau.» Elle s'était réfugiée chez une de ses soeurs, en «attendant de voir venir.»

«L'ignorant», fort à propos, lui donnait l'occasion de trouver un refuge plus agréable et confortable. «C'est charmant, chez vous. Je vous assure que je n'y changerai rien. Sauf quelques bricoles, bien sûr.»

Il se laissait faire. Horrifié, ahuri, vaguement soulagé de n'avoir plus rien à décider. Ce raz de marée l'avait submergé, englouti.

Ils se marièrent, donc, «dans la plus stricte intimité». Il avait l'impression de jouer un rôle de figuration dans un mauvais film de série B. Elle, dans un petit tailleur mauve, en jersey, rayonnait.

«Je m'appelle Marie. Mais chez moi, quand j'étais petite, on me nommait Mariette. Ainsi, vous voyez.»

À son tour, elle laissa la phrase en suspens.

Il n'aurait donc pas à s'accoutumer à un prénom différent ! Dans son manuel de sociologie, au chapitre intitulé: «sur la façon de traiter les domestiques autrefois», il avait appris que, dans certaines maisons bourgeoises, la patronne appelait souvent ses cuisinières par le même prénom, devenu nom commun. Cela lui avait paru grossier, barbare et inhumain. Voilà qu'il devrait nommer sa seconde femme comme la première!

Avec des sueurs froides il se demandait si sa trahison en serait plus éclatante ou, au contraire, atténuée, amoindrie, pardonnée, peut-être.

La dame renouvela d'ailleurs l'ameublement de la chambre conjugale. «Ce sera plus convenable, je pense.» À la place des lits jumeaux, un lit «king size» trôna dans la pièce. Elle refit des rideaux, changea l'orientation de quelques meubles, rajouta un chiffonnier, pendit au mur quelques gravures anciennes. Ainsi, adroitement, il put décrocher la photo de la première Mariette. Avec des minauderies, elle insista pour lui trouver une place d'honneur, au salon.

«C'est mieux, je vous assure. Je ne voudrais pour rien au monde la détrôner.»

Des phrases de ce genre le remplissaient à la fois de dégoût et d'admiration pour elle.

Il se consola en pensant aux beaux cahiers achetés par sa première femme. Ils pourraient servir tels quels, à la prochaine rentrée. Avec leur étiquette bien libellée de sa sage écriture: «Paul et Mariette Duhamel».

Pivoines

L'été arrivait toujours au galop. La surprenant chaque fois désarmée et fragile. Enfant, autrefois, on lui parlait des beautés de la nature, de la «France éternelle» et, parmi ces merveilles, de l'étonnante marée du mont Saint-Michel: «s'avançant plus vite qu'un cheval en délire», noyant le paysage en quelques heures. Elle s'imaginait, jouant innocemment sur la plage, avec ce bruit d'abord non identifié — toc-toc-toc — résonnant à ses oreilles. Déjà, l'eau lui léchait les pieds, la submergeait entièrement.

À Montréal, année après année, elle se faisait des listes de courses à faire, corvées à abattre, pour pouvoir s'enfuir, légère, loin de la ville. Jamais elle n'y arrivait. Sournoiserie de la chaleur s'abattant sans prévenir. «Il n'y aura pas d'été.» À tour de rôle, chacun le répétait avec des raisons scientifiques, aberrantes pour expliquer le «phénomène». Quand la chaleur torride était là, les théories inverses se donnaient libre cours. «La terre se réchauffe». «On n'a plus les hivers qu'on avait.» Elle aurait aimé rire de ces niaiseries répétées. Mais comment rire dans l'angoisse ? Liquéfiée, à l'intérieur comme à l'extérieur, bientôt elle ne serait plus qu'une tiède, minuscule flaque de larmes. Durant son enfance, les «forces de l'ordre» se mobilisaient pour que les grandes vacances soient remplies de balises, de bouées de sauvetage pour s'ébrouer dans le lac, avec de l'eau à peine jusqu'à mi-cuisses. Et ce bain — bain de siège! — il fallait le prendre après trois heures de digestion bien comptées. Déjà, le soleil était bas, l'eau plus froide. Et les siestes, allongée dans le noir. «Surtout, ne t'avise pas de lire en cachette. Tout le bienfait serait perdu.» Quand elle eut sa bicyclette, à douze ans, ils ne la transformèrent pas en tricycle, de justesse. À force de surveiller, comme on le lui avait tant recommandé, à gauche, à droite, en arrière, elle zigzaguait, sans voir, en avant, la pierre qui la faisait basculer. En sang, les genoux déchirés, elle rentrait, penaude, sous les sarcasmes de la famille rassemblée. «Un autre malheur de Sophie.» On l'avait nommée Sophie, pour célébrer une grand-mère très gaie et charmante dont chacun se plaisait encore à célébrer les vertus.

Il n'y avait pas de raisons spéciales pour commémorer les siennes ! Pourtant, son avidité d'enfant, certains hommes la trouvèrent charmante quand elle était dans la jeune trentaine. Alors, elle pouvait ruisseler de larmes pour une pluie tombée un jour de pique-nique; un voyage à New York remis. Elle était encore prête à se lancer dans des expéditions improvisées, jetant dans un sac de plage deux ou trois bricoles et, le sourire aux lèvres, à suivre, confiante. Sans rien planifier. Tout son temps libre était «pris». Elle ne se retrouvait pas «comme une niaise à se tourner les pouces dans le noir».

«Et tu resteras, finalement, le bec dans l'eau.» Pourquoi pas, songeait-elle en silence, en évoquant le lac tiède de juillet, la cane et ses canetons y plongeant à tour de rôle.

Voilà le bonheur. Plonger, tête la première, dans l'eau lisse. Se jeter dans l'eau glacée d'Ogunquit. De l'eau, de l'eau. Comme les marins de Colomb criant enfin après l'épuisante traversée. Mais elle avait été abandonnée sur le rivage. Avant, les hommes qu'elle avait aimés — cru aimer — riaient de ses «ardeurs». Peu à peu, ils semblaient la trouver moins drôle, moins légère.

Possessive. Acariâtre. Une angoisse la saisissait que personne ne voulait comprendre. Car personne n'acceptait plus son «intensité» — c'est ainsi qu'un de ses amis avait surnommé cette «qualité d'être», au temps de sa jeunesse. Comment leur expliquer que cette fameuse grande marée du mont-Saint-Michel la submergeait encore. Elle ne pouvait se résigner à devenir sage, comme son nom l'aurait exigé. Elle comprenait que ses parents aient si tenacement tenté d'endiguer ses élans, la surnommant «Mademoiselle tout feu tout flamme». Il lui semblait qu'elle ne respirerait jamais assez d'air, pur et tonifiant, ne planterait jamais assez de fleurs, au printemps, dans la terre encore imbibée de neige et de glace. «Les tempêtes du siècle» la métamorphosaient en joyeuse furie. Les flamboiements de l'automne la ravissaient encore .

Mais l'été, il lui fallait «ses» vacances. Du rationnement d'autrefois il ne lui restait aucune prudence, instinct de survie. L'année, elle était relativement sage, car pauvreté oblige. Elle dût gagner sa vie très tôt, à dix-sept ans. Dans des bureaux où elle assumait la routine quotidienne, gracieusement. La tête ailleurs. Perdue dans ses rêves. On repérait vite qu'elle n'avait aucune ambition ni désir «d'avancement». Sans grogner, elle faisait son travail, vite, acceptant de dépanner les autres secrétaires. Car elle tapait à une allure folle. Cela l'amusait. Comme un jeu. On lui pardonnait ses absences, ses retards. Un jour, on lui offrit la gérance d'une agence de voyages. Elle sauta sur l'occasion, travaillant là, avec ardeur et fougue. Vendeuse de rêves. Elle débitait, par coeur, les descriptions des dépliants, s'amusant à combiner des itinéraires économiques et pleins de surprises agréables. Bientôt, elle eut une clientèle fidèle et devint plus libre. Sans compter que sa «fonction» l'obligeait à échantillonner les voyages les plus mirifiques.

Elle «le» rencontra à Athènes. Un Grec très blond, très jeune, très beau. Il l'emmena loin des touristes. Ils allèrent se baigner, danser. Elle savait seulement son prénom et vécut enfin, au jour le jour. Le matin, tôt, il venait la chercher, la ramenait tard, à l'hôtel, ne passant jamais la nuit auprès d'elle. «Pour ne pas nuire à votre réputation. Cela ne se fait pas, ici.» Elle ne chercha pas à en savoir plus. Durant cette semaine, elle vécut dans l'instant. Parfaitement confiante et heureuse. Comme il le lui avait promis, il vint l'embrasser à l'aéroport, lui offrit un présent. Un très beau livre, rempli de photos où se retrouvaient les paysages où il l'avait emmenée, où ils s'étaient aimés. Elle remarqua qu'il ne lui laissa pas d'adresse, alors que, furtivement, elle insista pour lui donner sa carte de visite de l'agence. «Tu m'écriras.» Il ne répondit rien.

À Montréal, au bout de quelques semaines, elle dût se rendre à l'évidence: à presque quarante ans, elle était enceinte. Pas une seconde, elle ne songea à le faire «passer», cet enfant.

Elle prévint sa mère, ses amis. On n'était plus aux temps préhistoriques où il fallait cacher cette tare. Fièrement, elle claironna la nouvelle. «Sonnez hautbois, résonnez musettes.»

La folle Sophie remerciait son créateur qui l'avait jugée digne de passer du rang d'enfant à celui de matrone. Elle se promit de devenir bonne mère, de compenser, par sa présence, l'absence de «l'autre». Ces années de maternage, de maternité triomphante avaient vite passé.

Pour l'enfant futur, elle s'assagit, choisit un appartement lumineux, près d'un parc, au lieu de son entresol du centre-ville. Elle s'abstint de boire et de fumer durant sa grossesse. Elle continua car elle voulait nourrir sa fille au sein.

Premiers mots. Premiers pas. En l'honneur de sa fille elle était devenue «écolo-granola»; s'occupant d'elle avec sa passion coutumière, dont nul n'avait voulu, jusqu'alors. À sa fille, elle donna, avec abondance, ce qu'on lui avait mesuré, rationné. Véronique n'avait qu'à demander pour obtenir autorisations et permissions. Déjà, le bébé était une grande enfant. Leçons de musique, de peinture. Elle se privait de tout pour ne rien lui refuser.

Ses parents devinrent des grands-parents modèles. Ils s'occupaient de leur «petite dernière», contribuant, matériellement, chaque fois «qu'il le fallait». Leurs priorités n'étaient pas toujours les mêmes. Elle, pour sa fille, voulait ouvrir grandes les «portes du savoir». Dans sa jeunesse, elle avait renoncé à passer ses examens du secondaire. Pour elle, elle rêvait d'université et de carrière.

Sa fille rejetait férocement ses sollicitations, suggestions. Les merveilleux étés passés à la mer, à la campagne, à ramasser des coquillages, à composer des herbiers, elle en gardait un souvenir amer et rancunier. Des scènes de plus en plus fréquentes éclataient.

La vie était étrange. Sa fille ne lui pardonnait pas sa «faute», ni ses engagements pour des «causes», des «valeurs démodées et ridicules». Sautant les générations, elle voulait retrouver la sécurité d'appartenir à un groupe cohérent et homogène.

Elle lui reprochait les vérités enseignées, cette «éducation libérale nocive». Elle, cherchait à tout recouvrir d'un épais voile gris et terne comme un tchador. Véronique rompit donc avec sa mère. Elle se précipita dans un mariage «comme il faut», à dix-huit ans. Elle s'inventa une enfance tragique. À ses beaux-parents, elle fit une cour éhontée. Pour leur plaire, elle décrivit sa mère comme une «malheureuse», aveuglée par les passions, tombant dans le panneau des idéologies les plus redoutables. D'après les descriptions de Véronique, les rôles étaient inversés. Sa mère, jeune et folle, et elle, la fille, illégitime mais sage, bataillant pour voir la vertu triompher. Et quelle vertu ! La loi et l'ordre. Chacun à sa place. Pas de pitié pour ces hordes de réfugiés sales et dépenaillés se pressant aux frontières. Pas d'intégrations raciales réalisées à grands renforts de jugements de la Cour suprême. Pratiquante, elle allait à la messe et communiait tous les dimanches. Ainsi «protégée», elle se sentait libre de rejeter les enseignements de sa mère. L'indulgence. La tolérance envers autrui. Folle de joie, elle lui lança à la tête la boutade de Claudel, qu'elle venait de découvrir: «La tolérance ? Il y a des maisons pour cela.»

Donc, l'histoire continuait, se répétait, en hoquetant. Ses propres parents lui devinrent plus proches. Eux aussi trouvaient que leur petite fille en «remettait».

«Nous, on ne t'a pas élevée comme cela. Et pourtant, le milieu, alors...» La phrase en suspens, ils rêvaient, tout bas, de cette époque de «grande noirceur», presque étonnés de lui avoir survécu.

Elle, en larmes, s'indignait.

«Mais on ne savait rien. On ne voyait rien. Ces enfants du Dr. Spock et de la télévision, ils peuvent toucher du doigt les horreurs de la guerre. Comme s'ils y étaient. «Au coeur des Ténèbres». Mais ils réagissent en débiles. Ils regardent «l'Apocalypse» en éprouvant des frissons — mais de plaisir — la Grande Destruction, la Solution Finale, avec accords plaqués de Beethoven. Et ils «jouissent», paraît-il.»

Sa déception était intense.

Ses parents paraissaient comprendre.

«Tu ne vas pas claquer une dépression ?»

Ils s'inquiétaient. Elle les rassurait de son mieux, ravalant ses larmes.

Un frère de sa mère, un original, venait de mourir seul, quelque part dans le Nord. Loin, au bord d'un lac qui lui appartenait. Il avait construit de ses mains une sorte de baraque, cabane de bois où il passait l'année, cultivant un maigre potager, vivant de chasse et de pêche. Depuis des années, il n'avait pas reparu «en ville». Il choisit de laisser, en héritage, ce «domaine» à sa nièce. «Pour Sophie, ma sage et folle nièce, le lac, le bois, la maison», avait-il inscrit, sur un simple papier. Placé en évidence sur la table de la cuisine. Puis il se tira, en pleine forêt, une balle dans la tête. «Trop vieux», je me fais décidément trop vieux.» Il le confia, quelques jours auparavant, à son compagnon de chasse préféré, son plus proche voisin. Il avait donc vécu sa vie comme il le voulait, y mettant fin quand il jugea qu'il ne pourrait plus la vivre selon ses normes et désirs.

Et elle, qui n'avait rien voulu posséder, fut heureuse d'avoir en partage un coin de terre et d'eau bien à elle.

Il s'était trouvé trop vieux. Pourtant tout était en ordre et en parfait état dans la maison, avec du bois empilé dans la remise. Tout était rangé, balayé pour l'accueillir. La pompe fournissait une eau fraîche et pure. Elle découvrit des provisions de thé et de sucre dans des boîtes en fer hermétiques. Dans le jardin, les tomates, concombres et courges ne demandaient qu'à être cueillis.

Une vie simple et primitive. Avec le nécessaire, et, en prime, la beauté d'une nature intacte. On pouvait se croire sur une île déserte. Il n'était pas facile de s'y rendre, et elle s'acheta une vieille voiture pour pouvoir y passer ses vacances. Elle continuerait à s'occuper du potager, à semer, défricher. En ce tournant de sa vie, le destin lui offrait la chance d'un second choix. Elle se jura de le mériter.

Que peut-on refaire ? Recommencer ? Le départ de sa fille, ce rejet, cet échec cruel, elle n'arrivait guère à le surmonter. Véronique n'accepterait jamais de lui «prêter» ses petits-enfants, plus tard, quand elle en aurait. Le lac, le bois n'entendraient pas l'écho de leurs voix.

Elle choisit cette vie à l'écart. Mais avec les ans, cet écart lui paraissait énorme, insurmontable. Qui peut se fier à la seule force de ses mains, à son pouvoir de rêver ? La liberté paraissait terriblement exigeante, puisque «l'oncle», solitaire comme elle, décida d'y mettre un terme, dès qu'il comprit qu'il était moins adroit chasseur qu'autrefois ? Il ne s'était pas raté ! Son voisin et ami ne tarissait pas d'éloges sur la force morale de son vieux compagnon. Il se reprochait et se félicitait à la fois de ne pas être intervenu. Sa femme compléta l'éloge funèbre: «Des hommes comme lui, on n'en fait plus.»

Elle, n'était pas de cette trempe. On pouvait toujours l'atteindre. Un mot, dit sur un certain ton, la rendait malade. Le silence, aussi, pouvait être redoutable. L'étonnant silence de la nuit, heureusement peuplé par le clapotis du lac, le coassement de quelques grenouilles et, dès l'aurore, des chants d'oiseaux. Pour eux l'oncle avait construit de minuscules maisons en bois, dans les arbres, et elle fut heureuse d'apercevoir, la première fois, en arrivant, des hirondelles qui y avaient déposé leurs oeufs. Heureux augure.

La chaleur fut éprouvante en ville, cet été-là. Elle était submergée de travail. Pour économiser, se punir peut-être, elle renonça à l'appartement clair et ensoleillé, choisissant à nouveau de se loger dans un sous-sol moins cher, mais obscur et humide. «Très frais, je vous assure, en ces jours d'accablante chaleur.» Ses parents firent semblant de la croire.

En juin et juillet, la chaleur fut réellement torride. Sous ses fenêtres, masquant presque la lumière, rare, deux massifs de pivoines se mirent à pousser, proliférer. Chaque jour elle les voyait croître. Comme dans un film d'animation, au rythme accéléré, exagéré à dessein. Des dizaines et des dizaines de boutons en avaient surgi. Et deux jours après, des fleurs, roses, énormes, splendides. D'orgueilleuses pivoines, qui, à peine écloses, dodelinèrent un moment avant de s'écraser au sol, tuées par l'accablante chaleur. Toutes ensemble, en choeur. Pour elle, les pivoines avaient toujours incarné, dans leur plénitude qui la rassurait, la luxuriance de l'été. De bonnes fleurs, solides, grosses et grasses, fournies comme des choux, s'épanouissant à l'aise, même coupées. Résistant des jours et des jours sans que rien ne les altère. Voilà qu'elles avaient passé, comme un éclair, sans qu'elle ait le réflexe d'en mettre une ou deux à l'abri, dans un vase. Sa vulnérabilité actuelle lui rendait cette déception cruelle.

Toc-toc-toc. La marée l'entourait. Elle aurait beau courir, elle ne courrait jamais assez vite, assez loin.

Pourquoi tant courir ? Par moments, son coeur lui faisait mal. Elle éprouvait d'étranges douleurs au côté, quand elle essayait, malgré tout, d'attraper l'autobus à la course. Elle arrivait ou trop tard,—!il s'ébrouait déjà, la laissant sur le carreau — ou y montait si essoufflée qu'elle devait s'éponger, s'éventer, avant de réussir à payer son passage. «Il ne faut pas courir comme ça, ma petite dame». Elle s'était souvent fait rabrouer ainsi, ces derniers temps.

Certes, elle n'avait plus l'âge de ces exploits. Mais quand apprendrait-elle à être raisonnable, modérée ? «La modération a bien meilleur goût» affichaient les panneaux-réclames du gouvernement. Il s'agissait de conseiller aux électeurs assoiffés, au peuple buveur, de continuer à siffler vins et apéritifs, lourdement taxés, mais en quantités «raisonnables». Quelle était l'aune de cette modération?

Où commençait et surtout finissait-elle ? Il lui paraissait évident que la réponse n'était pas là. Du jour au lendemain, elle avait cessé de boire et de fumer. Elle n'avait pas recommencé, après la naissance de sa fille. Mais elle savait qu'il suffirait d'une bouffée ou d'une gorgée pour que le goût lui en revienne, aussi fort et impérieux qu'autrefois. Parfois, elle aimait à croire qu'elle avait atteint ce nirvâna où l'on n'éprouve plus ni douleur — ni peine — ni joie — avec violence. Tout était tamisé, filtré, le meilleur comme le pire.

Pourtant, en ce 14 juillet, en ce mardi mémorable, la plus étonnante tempête déferla sur Montréal. Avec une joie d'enfant, comptant les coups, elle assista au déclenchement du plus spectaculaire orage de sa vie. Dans le passé, aucun feu d'artifice ou réjouissance populaire ne l'étonnèrent ainsi. Roulement de tambour du tonnerre, éclairs striant le ciel noir comme dans la toile de Giorgione à Venise. Des pluies diluviennes s'abattirent. Elle assistait à ce déchaînement, médusée et ravie. Le ciel s'en mêlait apparemment, offrant ce déluge pour laver la ville, une bonne fois. Une sorte de calme la saisissait, au milieu de la tempête. «On» lui offrait ce spectacle pour l'encourager à poursuivre dans sa voie. Aucune modération, aujourd'hui. Dieu faisait sa lessive avec fureur. À pleins seaux. Les rues se transformèrent en torrents. Elle rentra à pied, chez elle, trempée jusqu'aux os. Elle venait d'emménager et n'avait pas rangé ses livres sur les rayons. Son logement était transformé en piscine. Deux jours et deux nuits elle épongea. Mais il fallut jeter presque tout. Les trésors d'autrefois, les livres de «la Petite», les souvenirs, vieilles lettres et photos. Une odeur de moisi régnait déjà dans sa cave entresol plongée dans le noir par une panne de courant. Quand elle eut fini de jeter, trier, sécher, une immense fatigue la saisit. Dans Outremont, Ville Mont-Royal aussi, les arbres les plus vénérables, parfois centenaires, avaient été arrachés, déracinés. Certains, en s'écroulant, avaient entraîné dans leur chute des balcons, éventré des façades. Elle décida de s'enfuir. Vers le nord. Une panique la saisissait à l'idée de trouver, là aussi, tout saccagé.

Elle conduisit vite tout du long de la route. En s'arrêtant au village pour acheter quelques provisions, on la rassura. Dans la région, il avait juste plu, abondamment. Tout était paisible. Exactement à sa place, identique. Avant toute chose, elle alla inspecter le nid d'hirondelles. Il était déjà déserté. Elle en aurait pleuré. Décidément, malgré sa hâte, elle arrivait toujours trop tard, toujours en retard pour ce qui lui importait.

«Rien ne sert de courir.» Pourtant, où était sa faute ? Elle avait tenté de se hâter, d'aller au plus pressé. Durant la chaleur des derniers jours, elle n'avait rêvé qu'à cela. Le lac. Se plonger dans l'eau fraîche du lac. Elle commença à se dévêtir. À courir vers lui comme une enfant. C'était un lac rond, petit, mais extrêmement profond. Dans cette lumière de fin de jour, il resplendissait, lisse, presque noir. Sur l'herbe, entourant la maison, elle découvrit des champignons. De beaux bolets, pressés les uns contre les autres, cadeau d'accueil inespéré. Dix, douze, juste surgis de la terre et de la mousse. Elle en cueillit un. Frais et ferme, fleurant bon la terre, le bois. Elle le mangea, tout cru, s'extasiant. Elle en émietta un autre dans sa main. Puis les dévora, l'un après l'autre, si grande était sa faim, son désir. Quand elle se jeta à l'eau, elle retrouva l'enfantin plaisir d'autrefois à se laisser flotter. Comme un bouchon. Comme un bolet. Le soleil venait de se coucher derrière les arbres, à l'horizon.

Frontière

«La tragédie de la vieillesse n'est pas que l'on devient vieux, mais que l'on reste jeune.»

Elle l'avait entendu dire, jadis. Aujourd'hui, elle ne se considérait ni jeune ni vieille. Hésitante encore, dans les grands magasins, entre les rayons. Ceux consacrés aux jeunes filles et les autres, plus élégants et chers, évidemment. Là, les dames, les vraies «dames» se sentent à l'aise, chez elles, retrouvant leurs vendeuses attitrées qui les conseillent, depuis des lustres. «J'ai juste ce qu'il vous faut.» Ravies, les dames se laissent conseiller, flatter, et repartent, comblées.

Au seuil des boutiques, elle hésite, s'y plongeant parfois avec audace et maladresse. Les vendeuses chevronnées ne s'y trompent pas. On la laisse aller, d'une démarche chancelante, entre les tailleurs, les tenues de gala. D'autres femmes, donc, portent ces chemisiers incrustés de strass, ces chandails perlés, ces ensembles comme il faut. «Une fois, une fois dans ma vie, réussir à passer pour celle que je ne suis pas.» Dame à chapeau, dame raffinée de la tête aux pieds.

Féminines frontières. Il lui manque le vrai passeport pour se présenter à ces douanes-là. On l'aurait vite repérée. Comme les femmes de chambre de l'ancien temps, se glissant en fraude dans les vêtements de «la bourgeoise». Faisant des accroires au chic garçon rencontré au dancing, qu'il s'agit d'éblouir au moins la durée d'un soir de bal.

Qui cherche-t-elle à tromper, séduire ? Voilà longtemps que sa réputation est faite. L'éternelle paumée, l'étudiante nihiliste qui ne sait porter avec art que son coeur en écharpe. Tôt et mal mariée, sitôt divorcée.

«Tu ne fais pas le poids.», lui a-t-il dit avant de refaire sa vie avec une plantureuse et opulente beauté sud-américaine.

Malgré les énormes portions qu'elle ingurgite, midi et soir, sans oublier les pauses goûter et collations nocturnes, elle reste maigre.

«Tu ne connais pas ta chance.» Ses amies, un régime après l'autre, lui jettent un regard noir. Comment expliquer qu'il lui faut ces monceaux de nourriture pour se maintenir en vie. Elle mange vite et mal. On le lui a assez répété sur tous les tons. On n'ose plus lui dire qu'elle s'habille plus mal encore.

Pourtant, ces uniformes qu'elle endosse, année après année, malgré les fluctuations de la mode, lui permettent d'éviter «le pire».

Jeune, elle s'habillait vieux. Aujourd'hui, on considère qu'elle s'habille avec la désinvolture de la jeunesse, s'enroulant dans d'absurdes «décrochez-moi ça» qui ne la serrent pas, lui donnant l'illusion d'être un caméléon.

Voilà le seul animal auquel elle s'identifie. Toujours prête à fuir, à s'estomper dans le paysage. Elle se reconnaît en cette versatile créature, vorace et timide à la fois.

«Tu le fais exprès.» On l'accuse de jouer à ce jeu imbécile, incrustée dans son fauteuil jusqu'à disparaître, des soirées durant.

Cet ingénieur, brillant et timide, on ne l'a invité que pour elle. Placé à son côté, elle n'a pas «daigné desserrer les dents de tout le dîner.»

«Une folle». Tu as fait une vraie folle de toi», s'exaspère son hôtesse.

À elle, il lui semble, pourtant, qu'elle a été gentille, attentive, l'écoutant sagement. Les hommes adorent qu'on les écoute, c'est connu. On le lui a assez seriné, jadis. Cela a peut-être changé, comme le reste. Elle a dû être distraite pendant cette révolution des moeurs. Autrefois, elle les ahurissait de paroles, de déclarations. Les forçant, même la bouche pleine, à jurer qu'ils étaient contre la peine de mort, pour l'égalité raciale. Non, elle n'a rien appris. Sinon à prendre la fuite, de plus en plus rapidement.

«Vous êtes charmante, avec vos airs apeurés de biche aux abois.»

Interloquée, elle le regarde. On parle comme cela, de nos jours ? Elle le regarde mieux. Il n'est pas vieux. Inclassable, lui aussi. Une connivence s'établit entre eux. Deux caméléons ? Elle renonce à le cataloguer dans son zoo. Elle évite vieux et jeunes loups, mais il lui arrive, lors d'un voyage, de s'accorder une «passade» ou une «parenthèse». En terre inconnue, dans l'anonymat d'une chambre d'hôtel, elle se sent en sécurité. Son billet d'avion et son passeport bien en règle, elle est déjà moralement prête à partir au moment de s'enfoncer sous les draps. Et souvent, en ces nuits clandestines, elle connaît un plaisir aigu, intense, violent. On la supplie parfois de rester, de prolonger de quelques jours, quelques nuits, son escale. Mais des films l'ont marquée. «Brève rencontre» — ou cette romantique histoire à Venise, avec Katherine Hepburn en héroïne sachant enfin partir à temps. Donc, à l'insu de tous, elle mène sa clandestine vie nocturne, pleine d'imprévu. Pour ces rencontres, pas besoin de Minitel ni de garde-robe sophistiquée. La tenue de la «dame» découragerait, annonçant qu'il faudra y mettre du temps, des formes, un absurde baratin.

Quand par hasard la rencontre se fait à Montréal, elle a établi une seule règle d'or: ni chez lui ni chez elle. Ce soir-là, une fatigue la saisit. Il insiste. «C'est à deux coins de rue.» En plein centre-ville, donc. Elle se décide à le suivre. L'immeuble paraît rassurant. Vingt étages. Il habite au seizième. Dans l'ascenseur, ils sont encore deux caméléons, s'observant avec prudence. Machinalement, elle cherche à repérer les sorties d'urgence. Son appartement est au fond du corridor. Dès qu'elle y pénètre, un malaise la saisit. L'odeur, rance et douceâtre, indéfinissable. Tout est sombre. Lugubre. Il continue à parler. Elle écoute à peine.

«Insonorisé à la perfection.»

«Surchauffé à l'excès», répond-elle, croyant conjurer la nausée, le vertige qui la saisissent. Elle a peur de s'évanouir.

«Vous n'aimez pas mes collections?» Fièrement, il exhibe d'horribles bocaux dans lesquels flottent d'étranges animaux ou foetus. Sur les murs, des papillons épinglés, des gravures, de Piranèse sans doute. Il l'entraîne vers le sofa. «Un autre whisky ?»

Elle accepte. L'alcool pur lui redonnera peut-être un regain de force et d'énergie. Pendant qu'il remplit son verre, elle remarque ses mains. Elle a toujours aimé les belles mains d'homme. Les siennes sont fascinantes de laideur. Elle serait incapable d'expliquer sa répugnance, mais comprend qu'elle ne leur échappera pas. Le caméléon est pris. Elle redemande un autre whisky. Bienfaisante torpeur de l'alcool. Le verre du condamné. Elle se force à boire, lentement. Il semble surpris.

«Comme vous buvez étrangement.»

Elle ne répond pas.

Pendant ce temps qui reste, si court — car elle se laissera faire sans opposer la moindre résistance, sans tenter de sortie, fuite vers le balcon ou l'escalier de sauvetage — elle se rappelle la phrase découverte voilà peu. Sur la tragédie de rester jeune, même quand la vieillesse vous a saisi. Elle ne connaîtra pas cette tragédie. Elle n'aura plus à choisir de tenue «appropriée». Ces mains-là sauront décider pour elle. Sans doute un sac de plastique vert. À l'exception de quelques rares morceaux choisis, conservés dans le formol.

Des moments de bonheur, intenses et radieux, émergent de son lointain passé. Au calendrier de son coeur, le signe du caméléon sera le plus fort. L'effort de la fuite requerrait une adresse, une ruse qui l'ont désertée, voilà longtemps. Son «ex» se plaignait déjà de sa non-combativité. «Génération d'objecteurs de conscience, de non-violents pusillanimes.» Elle ne fait pas plus le poids aujourd'hui qu'hier.

Du caméléon, elle n'a que la peau terne. Il lui manque l'adresse, la rapidité du regard fourbe feignant de fixer un point alors qu'il a déjà cloué de son regard sa victime qui ne s'en doute pas. Mais elle, elle sait. Entre eux, passe à nouveau cette connivence. Il sait qu'elle ne se ruera pas sur le téléphone, la porte. Elle fixe son verre. Il ne la regarde pas. Les glaçons fondent très très lentement. Elle en fait craquer un sous ses dents. Elle a presque hâte. Pour le neutraliser, comme avec les pirates de l'air, il faudrait ruser, l'engager à parler, parlementer.

Sans doute, des centaines de femmes, plus innocentes qu'elle sont sorties indemnes de ce piège. Ignorantes du danger elles ont dû lui échapper, persuadées de n'avoir croisé qu'un malheureux impuissant de plus. Car aucun sacrilège simulacre d'amour n'aura lieu, entre eux. Du moins, pas avant. Et après ! Elle retire son foulard de soie. Son cou, ainsi dégagé, il saura, avec précision, où poser ses pouces, ses horribles pouces énormes. Cela ne devrait prendre que deux courtes secondes. Il se penche vers elle, qui ferme les yeux, consentante.

Cette fin-là, jamais elle ne l'avait imaginée. Mais elle s'y était préparée, de toute éternité. Pourquoi pas cette mort, après tout? en ce no man's land de l'âge, frontière où tout se joue encore entre les forces de vie et de mort. Les petits journaux à scandale pourront se gausser de cette fin grotesque d'une experte comptable modèle. Elle imagine les photos macabres, les détails incongrus.

Quand elle s'éveille, le lendemain matin, avec un abominable mal de crâne, elle est toujours couchée sur le sofa. Il a étendu une couverture sur elle. Le soleil est déjà haut. Lui, parti. Sur la table basse, un petit mot. «Il y a du café noir et chaud dans le thermos que j'ai laissé près de vous.»

Méfie-toi, Gilbert

Pour lui, le temps se perd. Le temps se gagne. Durement. Toujours essoufflé, en retard d'une révolution. Haletant. Épuisé. Dieu, donne-moi cette minute, cet instant si bref. Rien ne sert de courir. Rien ne sert à rien. Serf d'un travail débile, débilitant. Il faut fonctionner, de l'aube à la nuit, faire semblant que tout est simple. «Sous contrôle», comme ils disent si allègrement. «Everything under control.» Ils ne contrôlent rien. Faire semblant d'être affairé comme eux. Fourmilière anarchique. Il ne résistera pas longtemps à cette pression. Médiocres. Le monde est plein de médiocres toujours prêts à acquiescer à qui hurle le plus fort, paraît le plus roué et averti.

Cela prend normalement vingt ans de vie-mort pour être chef de rayon ou de bureau. Pour pouvoir dire, d'une voix neutre, «Mademoiselle, il me faut, il me faut, entendez-vous, ce rapport avant cinq heures.» Ce rapport dormira longtemps sur le bureau d'un autre petit chef. On finira par le classer aux archives, dans un délai raisonnable. Rien n'est raisonnable dans ce rayon de la ruche où il a échoué. Bien contre son gré. «Mais il faut manger.» Il mange. Il a faim. Comme les autres, trois fois par jour, il mange.

Il faudrait prendre exemple sur l'ours, le chameau, supporter, sans broncher, les longs hivers, les soifs au désert. Sans besoins. Sans problème.

«Y a pas problème» disent les ouvriers haïtiens, immigrés, mal payés, sans permis de travail, travaillant «au noir», c'est le cas de le dire. Toujours tremblant d'être raflés, retournés comme des marchandises de surplus.

«No problem» affirme, péremptoire, le petit boss torontois, promettant de livrer, pour l'échéance prévue, le chantier commandé pour le jour J.

«No comment» disent les ministres et chefs d'État devant les grèves ou les guerres qui s'éternisent.

Il voudrait, lui aussi, se taire, se boucher les oreilles. «Je la boucle.» Non pas le slogan publicitaire prônant le port de la ceinture de sécurité, obligatoire depuis peu, mais cette «grande gueule» qui l'a tant desservi, jadis.

«Méfie-toi, Gilbert.» Elle le lui répète, à toutes les occasions. «Méfie-toi, Gilbert. Ne va pas dire pour qui tu votes, qui te tombe sur les nerfs. Tais-toi. Observe. Fais ton trou. Comme la souris prévoyante et sage dans une bonne meule de gruyère. Méfie-toi Gilbert.»

S'il s'était méfié, il ne l'aurait pas épousée, elle, en premier lieu. Il était sans défense, rêvant de vivre comme un lézard au soleil, enfant sage et fou d'une autre génération perdue, perdue de rêve et d'utopie.

Il l'a prise pour une fille-fleur, «Peace and Love». Fille chantante et charmante, habile à tresser des colliers, ramasser des coquillages sur les plages, de l'Atlantique au Pacifique.

«Les grandes vacances ne sont pas éternelles.» À qui le dit-elle. Il n'y a plus de vacances, depuis. Comme le mariage transforme vite une mousmé en harpie. «Qui prend mari prend pays.» La bonne blague. Pays conquis. Tout lui appartient, à elle. Elle sait tout mieux. Il a envie de rire parfois même si cela le fait rager, quand il l'entend pérorer sur sa vie de bureau. Sa vie de bureau à lui, avec les tactiques, ruses, camouflages de cette guerre de tranchées où elle l'a forcé à s'enrôler.

«Une carrière, cela se planifie.» Il la laisse dire, désormais. Fini de l'écouter. Gilbert se méfie enfin; mais d'elle et d'elle surtout. Elle avait raison. On ne se méfie jamais assez. Comment se méfier quand on est jeune et bête ? «Cher petit béjaune» s'apitoyait encore sa mère.

«Cours le monde, va, pendant que tu es libre.» Il n'a pas couru longtemps. Le voilà enchaîné à la routine. Il y a eu les cerises de l'Ontario, les pommes de Colombie, et les vendanges en Californie. Plein les bras de fruits mûrs en d'énormes hottes épanouies. Et on rentre à Montréal avec la nouvelle récolte, une fille pleine de son fruit à elle, à lui, ventre lourd prêt à éclore.

«Maintenant que te voilà père de famille...» Pas nécessaire de finir la phrase, ni de citer la fameuse sentence de Péguy sur «l'aventurier des temps modernes.» Comme il ne peint pas comme Gauguin, il restera cloué dans le gris de novembre, la glace de février. Pas d'îles Marquises pour lui. Pas de vahinés. Le bureau, de neuf à cinq. Les lamentations sur la vie chère en fin de semaine.

«Méfie-toi Gilbert.» C'est lui qui fait les courses, le samedi, au supermarché. Il paraît qu'on lui refile les oranges molles, les tomates gâtées, au fond du panier.

Au lieu de répondre, il se contente du silence. Il rêve aux histoires idiotes des gars du bureau. Eux aussi ont des «épouses qui les picossent», comme ils disent. Ils en profitent pour picoler, avant de rentrer. Les courses à l'épicerie leur permettent d'échapper un peu à la routine des samedis. Tout en se donnant des airs d'homme nouvelle vague, libérés, ne craignant pas d'être vus poussant un chariot rempli à ras bord. Quand le «patron-big-boss» les rencontre, une complicité nouvelle s'établit entre les gars. Il a pris l'habitude de regarder, à la télé, les matches: hockey, baseball, ennuyeux à mourir. Mais elle lui concède ce «plaisir», partagé avec la horde primitive bien-pensante. Il rêve en silence devant l'écran. Serait-il encore un «vrai homme» s'il insistait pour écouter Wagner ou Debussy ou osait même lire des poèmes, comme avant ? Parfois, il se cache, comme un gamin. Feignant d'être absorbé dans les pages financières du New York Times. Elle en conclut que son Gilbert se bonifie.

Et elle attend un deuxième enfant. Quand il suffoque d'angoisse, il se répète que nombreux sont les hommes, partis chercher un paquet de cigarettes au coin de la rue qui se sont enfuis à l'autre bout du continent. Libres comme l'air. Introuvables.

«Méfie-toi Gilbert. Le tabac. La nicotine. Les poumons. Tu es faible des bronches, tu le sais.» Voilà longtemps que, grâce à elle, Gilbert ne fume plus! Il ne partira pas davantage — ni en fumée ni en Thaïlande. Il se contente de rêver comme Emma Bovary.

Cap Tourmente

Elle avait rêvé d'échapper au «système». Longtemps, elle crut que, «en vérité, en vérité je vous le dis mes frères», elle atteignait son but. Aucune trace de lien ou d'entrave, en sa vie. Elle riait d'eux, gentiment, mais avec une certaine condescendance qu'elle ne parvenait pas à dissimuler. «Voyez. Rien dans les mains, rien dans les poches. Si je le veux, je m'envole et prends mon essor en quelques minutes.» Cela fut vrai, jadis. Eux croulaient sous les dettes, hypothèques, rougeoles et varicelles diverses, dépressions chroniques, scènes conjugales. Accablés par les intrigues illicites, revendications des enfants, conseils de tout un chacun afin qu'ils «se branchent», fassent sérieusement carrière, ne gaspillent pas leur énergie en d'inutiles expériences dont on sortait soit blasé, soit blessé.

Il y eut des années fastes, où cette existence «d'oiseau sur la branche» lui apportait un terrible et délicieux sentiment d'exaltation. Libre comme l'air, volant haut, vite, respirant à pleins poumons, étonnée de ne pas se trouver piégée comme on le lui avait prédit. «Les deux pigeons». Elle connaissait par coeur la fable. Malgré les prédictions sinistres, elle eut des amoureux transis, ravis par son audace. Ils l'attendaient, fidèlement. Elle les quittait, facilement, pour «mieux leur revenir». Ses parents, après cinq garçons forts et sains, eurent cette fille, tard venue, fragile. Ils se réjouirent de ce cadeau inespéré. «Ils l'ont pourrie» disaient ses frères, qui, eux aussi, jadis, durant longtemps, contribuèrent à établir la légitimité de son règne.

La maison entière semblait lui appartenir de droit. Elle en profitait pour s'échapper. Pourtant, outrageusement — songeaient silencieusement ses belles-soeurs — ses parents l'avantagèrent. Ils y mirent les formes, multipliant les explications testamentaires. Eux, ses frères dépossédés, besognaient. Elle, allait, tantôt en Europe, puis, plus tard, là où sa fantaisie la menait. Même aux Indes, durant sa période mystique. Les Indes galantes, murmurait-on parfois, derrière son dos. Déjà, elle n'était plus aussi jeune, légère. Plus question de partir, sac au dos, de dormir par terre, pour partager la vie de ces «peuples» dont elle chantait les louanges.

Elle crut mener une vie de «militante», sincère, dépourvue de préjugés, se passionnant pour les croisades du Tiers-Monde; en fait, désireuse d'alléger sa conscience, fausse bonne conscience de fille qui ne voulait que «passer sur cette terre». Et ne rien «posséder». «Comme privilégiée, elle se pose un peu là», soupiraient ses amis. Le luxe de la liberté, ce luxe rare, elle s'en était emparé, avidement. Des garçons la suivaient, plus jeunes qu'elle désormais. Grâce à son héritage, ces sous soigneusement économisés au cours des siècles par des ancêtres aux vies laborieuses et économes, elle pouvait les retenir par de menues faveurs.

Était-elle toujours libre ? Ou, comme le jeune homme riche, entravée par cet argent de famille ? Comme alibi, elle regardait, passionnément, certains insectes, qui, pour s'élever, haut dans le ciel, avaient besoin d'une cuirasse-carapace. L'invulnérable fille d'air devenait fragile, friable. Cet argent, dont elle prétendait pouvoir se passer, constituait un écran-protecteur, pare-balles indispensable lui permettant d'affronter — et pour combien de temps encore ? — ses fuites, bonds en avant. À chaque départ, désormais, elle devait surmonter une peur menaçant de la paralyser.

Elle évitait d'en parler. Même au médecin consulté, elle camouflait certains symptômes. En inventant d'autres pour avoir droit à la manne des anti-dépresseurs, tranquillisants, euphorisants. Par un énorme effort de volonté, elle renouvelait encore la prouesse des départs.

Jeune, on la trouvait séduisante grâce à sa démarche souple et dansante. Effleurant à peine le sol, avec des mouvements rapides et jolis à voir. Ses cheveux, d'une extrême finesse, blonds, naturellement ondés, contribuaient à sa joliesse. Ni belle ni régulièrement jolie, elle attirait le regard par sa blondeur gracile, des yeux bleus, très pâles, une peau très blanche. Plutôt petite, mais sa minceur l'avantageait. Aucun maquillage, évidemment. Elle ne pouvait recourir à ces «artifices» qu'elle ne condamnait pas chez les autres mais se les refusait. Elle portait de souples robes blanches ou noires qui accentuaient la finesse de sa taille. On se battait pour la faire danser. «Une plume, légère comme une plume» s'extasiaient les hommes de la génération de ses parents.

Et elle valsait sans perdre le souffle. Sans que la tête lui tourne.

Une plume, bien sûr. N'était-elle pas née sous un signe d'air, oiseau de passage par choix, conviction.

Pendant un temps, elle fit des aquarelles, sur des papiers minces, quasi transparents. Feuilles volantes, qu'elle distribuait au hasard. On lui reprochait cette négligence.

«Ce n'est pas ainsi qu'on fait des progrès.»

Elle écrivait aussi. Des poèmes, légers, au rythme fluide. Elle refusait de les montrer sinon à quelques rares élus. Quand on lui suggérait de les réunir, quand un jeune poète à la mode s'offrait à les montrer au directeur d'une revue «sérieuse», elle éclatait de rire. Elle n'allait pas se laisser piéger ainsi. Toute carrière lui paraissait un miroir aux alouettes. Pas question de montrer, faire voir, laisser critiquer ou admirer. La beauté de ces dessins ou poèmes résidait en leur précarité. Vite faits, aussitôt détruits, éparpillés.

Elle s'éparpillait ainsi. Courant après son ombre. Pourchassant mirages et chimères. Plus loin, plus haut, plus vite. Elle conduisait vite, bien, dangereusement. Elle dansait des nuits entières. Elle buvait, vidant les coupes à un rythme accéléré. Puis, elle désira s'entourer de fumée. Elle aimait se sentir ainsi enveloppée, protégée de nuages bleus et gris. À rêver, aidée par ces cigarettes qu'elle s'amusait à rouler elle-même. Les mélanges devenaient de moins en moins anodins.

«Si tu te fais prendre, une fois, une seule, à la frontière, je te jure que plus jamais tu ne retrouveras ta liberté.»

À tour de rôle, ses frères lui firent la morale. Prenant, triant, choisissant avec soin les arguments pour la convaincre. Au cinéma, à la télé, elle eut le loisir de s'instruire des prisons les plus affreuses de la planète.

Derrière les barreaux, en cage, la fille de l'air. Rien de plus horrible ne pouvait la menacer. Elle suivit avec soin le dossier des soeurs Lévesque,qui, du moins, étaient deux pour s'épauler. Sa terreur d'être piégée fut la plus forte. Elle renonça. Elle prit, à la place, des leçons de pilotage. Au milieu des vrais nuages, près du ciel. De plus en plus loin de la terre.

Une autre folie, soupirèrent ses proches. Seuls ses neveux et nièces, fascinés par elle dès l'enfance, applaudirent ce nouvel exploit.

Elle s'était rapprochée d'eux, au cours des années.

«Juive errante!» Avant, elle refusait de rentrer pour Pâques, Noël, les communions. Les mariages surtout. Physiquement, il lui était intolérable d'assister à la cérémonie. Ce rituel du bonheur, bouquets de corsage, offrandes de cadeaux, serments de fidélité à la vie à la mort. Et cette portion de vie future promise à l'autre pour que se perpétue l'espèce. Elle regardait avec étonnement des «matrones» plus jeunes qu'elle, s'imaginant tout dominer, ayant réponse à tout.

Plus le temps passait, plus elle se sentait effectivement, affectivement, démunie de savoir. Sinon cette certitude qu'elle mourrait, étouffée, écrasée, sous le poids des obligations de la vie grégaire et familiale. Physiquement incapable d'affronter ce quotidien dont chacun chantait les charmes. Délices de Capoue hors de sa portée. Quand l'un ou l'autre y échappait, il lui fallait aussitôt s'en inventer un autre. Un nouveau «nid d'amour» était immédiatement complété. Veuvage et divorce ne contribuaient pas à augmenter le nombre des solitaires. Les morts oubliés, les infidèles, bannis des souvenirs. Remplacés par d'autres, que l'âge ou la maladie devaient avoir assagis. Même si elle refusait toujours la sagesse, elle n'avait plus la force de s'élever, s'éloigner, prendre ses distances. Une force la clouait au sol. Les leçons, pour obtenir le brevet de pilote capable de voler en solitaire, la laissaient anéantie de fatigue. Elle retenait mal les signaux de ce nouveau code. Sans doute, au temps d'Amelia Earhart, qui fut sa grande passion et l'héroïne de sa jeunesse, les choses étaient plus simples et le ciel libre. Aujourd'hui, les entrées ou sorties de l'aéroport étaient souvent aussi encombrées que le métro aux heures de pointe.

Justement, elle se déclarait incapable de le prendre. «J'étouffe sous terre. Je manque d'air. Pour un peu je m'évanouirais sur le quai.» Elle s'était toujours vantée de sa résistance physique et nerveuse. Elle en venait à s'inventer des maladies «nobles» afin de justifier ses séjours, plus nombreux et plus longs, dans la maison familiale.

Pour une fille revendiquant la liberté absolue, s'avouer atteinte d'asthme devait constituer une rude défaite. Pour un rien, l'air venait à lui manquer. Elle ne respirait qu'avec peine. Elle se précipitait de la montagne à la mer. Le froid de février, à Montréal, lui devint intolérable. Elle suffoquait de chaleur sous les tropiques. Elle allait en Norvège, l'été. Pour être attentive aux heures de lumière. Vingt-quatre heures sur vingt-quatre: c'était sa façon de fêter l'été. Pour les fêtes et feux de la Saint-Jean, il lui fallait ces nuits blanches, sans fin. Honnêtement, elle aurait pu s'avouer que, depuis pas mal de temps, la vie n'était plus une fête, mais un pensum dont il fallait s'acquitter avec grâce et un minimum de simagrées.

Il était entendu, autour d'elle, qu'elle était l'incarnation de la folle et libre jeunesse éternelle. Le monde ne serait plus le même si ces êtres instables et aériens disparaissaient. Il fallait des contrastes. Aux uns les forces du pouvoir, de l'ordre, la domination du monde matériel. Aux autres, le rêve, les idées généreuses, les utopies désincarnées. Elle avait déjà fait des voyages «intelligents». Même ses frères le reconnaissaient. Certaines de ses équipées avaient éveillé chez ses belles-soeurs — même les plus bougonnes — des velléités de révolte contre la vie tranquille et rangée qu'elles menaient. Fins de semaine d'été et d'hiver «au chalet». Séjour de deux semaines à la mer, «pour les enfants», dans la section la plus bruyante d'Old Orchard. Depuis peu, des vacances d'hiver en Floride où l'on retrouvait de vieux amis. Bridge pour ces dames, tennis et golf pour les hommes.

De ses voyages, elle ramenait de ravissantes et vraies histoires à conter aux enfants. Ils buvaient ses paroles. À l'écouter, ils rêvaient de parcourir à sa suite le monde, monde rempli de merveilles naturelles, à vous en faire battre le coeur, où il y avait mille espaces inexplorés à découvrir. Non pas l'univers enfantin des parents, qui les avaient traînés à Disney World. Ils en éprouvèrent un immense désappointement.

«D'avance, elle a gâché leur plaisir.» se plaignirent ses belles-soeurs. C'était faux. Son honnêteté naturelle l'obligeait à ne pas attirer «leurs» enfants, même si elle aimait à rêver qu'elle emmenait l'une ou l'autre de ses nièces, les plus ardentes et curieuses; ou le petit dernier qui l'en suppliait depuis qu'il savait parler.

Cela n'aurait été ni bien ni juste. Les parents de ces enfants avaient mérité qu'on laisse leur progéniture en paix. N'avaient-ils pas soigné coqueluches et rougeoles pendant leurs nuits blanches à eux, rages de dents ou coliques des bébés ? Plus tard, désastreux bulletins de fin d'année, dépressions violentes pour une danse où ils n'avaient pu aller, faute de danseur, ou encore, à cause d'une malencontreuse éruption d'acné.

Elle s'était juré d'être honnête. Pas de captation d'affection pour s'assurer d'un compagnonnage tardif. Elle ne se rabattrait pas sur sa famille pour obtenir une présence rassurante aux heures les plus dures.

Elle avait joué les filles de l'air, elle continuerait.

Certains matins, il était dur de se lever. Elle n'avait été ni coquette, ni frivole. Pourtant, en s'apercevant, à l'improviste, dans la lumière crue du matin, il lui arrivait d'avoir peur. Pas tant de la vieillesse qui approchait. On la complimentait encore sur sa sveltesse, sa liberté d'allure, de mouvement. Comment avouer, à quiconque, sa difficulté à exécuter les gestes les plus simples; ces craquements aux jointures, cette douleur au creux de la nuque ou des reins. En cachette, elle se bourrait d'aspirine. Ses cheveux n'avaient pas blanchi, mais pâli. Comme ses yeux, dont elle aurait pu jurer qu'ils n'étaient plus aussi bleus qu'autrefois.

«Comme tu es mince», s'extasiaient ses amis. Elle se trouvait maigre, se forçant à avaler lait au chocolat, bananes. Étrange chimie de l'âge. Elle avait la certitude de perdre du poids, du volume, de la hauteur.

Petite et fragile, sans défense. Aux commandes du petit avion, elle mourait de peur. Au sol, une fois descendue, d'étranges vertiges persistaient, longtemps. Par les jours de grand vent, quand il lui arrivait d'essayer de marcher d'un bon pas, elle s'essoufflait. Éprouvant son manque de résistance comme une trahison.

Oui, ce sol, cette terre se dérobaient sous ses pas. Avant, son plus grand bonheur était de partir, au hasard, à l'aventure. Hésitant entre le nord et le sud, décidant, gaiement, sur un coup de tête. Sans laisser d'adresse.

Durant l'un de ses séjours au Canada, on l'emmena au Cap Tourmente. Le nom l'avait fascinée. Depuis longtemps, elle avait renoncé aux tourmentes d'idylles menées jadis avec légèreté et insouciance. Elle n'avait plus le coeur ou la tête assez libre pour s'y aventurer. Ses dernières passades l'avaient laissée meurtrie et dolente. Ces trop jolis garçons semblaient la rechercher pour des raisons — elle hésitait entre les qualificatifs «inavouables» et «évidentes» — néanmoins fort claires. Le cynisme n'était jamais absent de ces échanges amoureux. Sous leur regard, elle était cataloguée, répertoriée, comme une proie facile à leurrer. La touriste naïve, idéale à plumer.

Avant, elle pouvait jouer à la dame en blanc, façon Colette. Maintenant, la couleur importait peu. La dame aux dollars. Le fric n'a ni odeur ni couleur sinon ce vert uniforme des coupures américaines.

Elle renonça à ces rencontres de hasard, ces nuits fiévreuses dont elle s'éveillait avec d'affreuses migraines. Avec courage, détermination. Elle sentit le piège, la menace. On ne l'y reprendrait pas. Elle avait assez clamé, brâmé que la solitude ne lui faisait pas peur. Elle jouait aux cartes depuis peu. Des nuits entières parfois. La passion du jeu pouvait remplacer l'autre. Elle évitait les casinos. Le bridge lui suffisait. Elle devint une joueuse redoutable.

On la sollicitait pour des tournois. Elle refusait, même si elle commençait à être tentée. Tout serait organisé par d'autres. Elle n'aurait qu'à jouer, du matin au soir. Et ces tournois se déroulaient en des endroits agréables, des hôtels confortables.

Au Cap Tourmente, en ce jour d'octobre, gris et froid, on lui fit visiter les battures; le petit musée où l'on expliquait les mystérieuses migrations des oies blanches. Des milliers étaient déjà parties vers le Sud. Celles qui restaient effectuaient des manoeuvres. S'élançant vers le ciel, en formation régulière, puis s'abattant un peu plus loin, au bord du fleuve. Répétitions sans doute nécessaires avant la grande expédition vers les terres chaudes et les marais salants. Elles cherchaient leur nourriture férocement, avidement, avec des battements d'ailes impatients, n'ayant pas encore acquis les réserves et forces suffisantes pour effectuer ce voyage interminable. Comme ces nageuses traversant le *Channel*, le corps enduit d'une épaisse couche de matière grasse, elles complétaient leur entraînement, méthodiquement. Il était troublant de songer que, depuis des siècles, sans se tromper, sans errer, elles effectuaient ce même périple, du Grand Nord de l'été, pour y pondre, aux marécages du Sud, l'hiver. En passant par cette étape désolée et sauvage du Cap.

Cap Tourmente. Elle venait d'y entrevoir son destin.

Comme une oie, elle refaisait le même chemin, chassé-croisé où elle s'imaginait prenant son essor, allant au hasard, alors que, de toute éternité, sans doute, elle suivait une voie déjà tracée. Sans comprendre les règles et les lois de ces odyssées qui ne la menaient jamais vers une Ithaque rêvée.

Ce soir-là, en rentrant, elle fit son testament. Jusqu'alors, ce geste lui avait paru prématuré et futile. Sur une simple feuille blanche, à la main, avec soin, elle spécifia qu'elle désirait qu'on répartisse également entre ses cinq frères ce qui restait de l'héritage familial. À charge pour eux de veiller à son enterrement, dans un simple mais robuste cercueil de bois. Dans le vieux caveau de famille, au cimetière Saint-Laurent. Là son père et sa mère étaient ensevelis. Elle éprouva du soulagement, en signant. Ses frères seraient étonnés. Quelquefois, comme par jeu, ils lui avaient demandé: «Tu ne te feras pas incinérer, veux-tu, avec cérémonie de dispersion des cendres sur la mer. Tu nous le jures, petite soeur.»

Elle n'avait jamais juré. Celle que l'on baptisa la fille de l'air, l'incorrigible Ariel, avait toujours su qu'elle ne connaîtrait le vrai repos, la halte désirée, qu'au sein de la terre. Profondément enfouie dans ce sol lourd et noir. Elle n'avait fui si loin, si souvent, que pour mieux revenir s'y blottir. Retour aux origines, si longtemps différé. Elle commençait enfin à croire et à espérer que l'attente ne serait plus très longue. Elle, la petite dernière, serait la première à les rejoindre. Comme sans doute ils devaient le savoir et le souhaiter, depuis toujours.

Canicule

Il fallait aussi redouter la chaleur. Cet été, il la découvrait avec surprise. Jusqu'alors, il avait surtout craint les grands froids de février, avec leurs rafales, mortelles pour lui, pauvre cardiaque. Au bulletin de nouvelles locales, on rapportait toujours les morts accidentelles de petits vieux, intrépides ou naïfs qui s'aventuraient à l'extérieur par des températures de moins trente. À la recherche d'une babiole — quart de lait ou journal du jour — au lieu de rester sagement blottis dans leur logis surchauffé.

Les victimes des vagues de froid européennes le fascinaient. On y chiffrait les morts par centaines. Pire qu'une épidémie de choléra. Justement, il venait de terminer, haletant d'angoisse, le roman de Marquez, prêté par un ami qui avait longuement, lourdement insisté: «Cela te distraira. C'est plein d'histoires merveilleuses, d'aventures étonnantes. À te couper le souffle. Un tel amour de la vie. Avec des prouesses amoureuses inédites.» Il avait lu, vite, emporté, comme malgré lui. Ce qu'il avait retenu était d'un autre ordre. Fasciné, il retrouvait, au long du récit, la relation détaillée des phobies qu'il cachait, ses plus secrètes et obscènes obsessions. La littérature devait avoir bien changé, elle aussi ! Voilà qu'on nommait, détaillait avec précision, les misères du corps, avec des raffinements de dictionnaire médical. Il se croyait seul à éprouver ces angoisses. Un romancier en parlait, ouvertement. Ne plus être le seul à être atteint le rassurait et le terrifiait à la fois.

Donc, les petits vieux de son âge devaient lui ressembler, par certains points. Il se révolta. De toute éternité, il fut «unique». Pourtant non, pas même enfant unique ! Deux soeurs, plus jeunes que lui, avaient envahi son espace, son territoire. Sa mère prit soin de le rassurer. Il demeurait le premier, fils unique, adoré, adulé, «couvé». Sa mauvaise santé permettait à sa mère de le gâter sans remords. Son «garçon» était si fragile. Voilà ce qu'elle répétait à qui osait s'interposer entre elle et lui. Son père abandonna la partie. «Tant pis pour toi. Pour lui. Plus tard ce sera une poule mouillée. Une lavette.» Il emmenait «les filles», par les plus grands froids de l'hiver, jouer dehors. Ils rentraient tous les trois, excités, pareils à des blocs de glace, les cils, les sourcils gelés, les pommettes rouges.

Il toussait rien qu'à les voir, à «respirer le froid». Il avait toujours eu un odorat extrêmement sensible. Avant même que ses allergies ne se déclarent. Et même sa mère pourtant indulgente ne pouvait supporter ce «tic, répugnant, dangereux aussi, je t'assure. Tu me rends folle avec ta manie de tout renifler.»

Elle s'arrêtait. Il la connaissait si bien qu'il l'entendait penser. Lui, si délicat, avait le nez fourré partout. Comme un chien, ne se fiant qu'aux odeurs pour retrouver son chemin. En certaines circonstances, cela devenait du délire.

«Je t'ai vu. J'ai eu assez honte. Mon fils se conduit comme un malappris. Madame Bolduc t'a vu. J'en jurerais. On nous invite. On sort la plus jolie porcelaine, les serviettes à thé brodées, des biscuits au beurre faits à la maison. Et monsieur se met, d'un air dégoûté, à renifler. Comme un pourceau. Même ses jolies cuillers en argent, toutes brillantes, tu les as «vérifiées». Comme si tu étais dans une gargotte de quatrième ordre. Et je t'ai vu, sournoisement, les frotter sur ta veste.»

Comment lui expliquer ! L'odeur l'avait positivement suffoqué dès qu'il entra dans le salon de cette amie de sa mère.

Une amie plus âgée, fardée, poudrée à l'excès. Les autres n'avaient-ils pas d'odorat ? Dès le seuil, il savait, lui, si l'atmosphère serait «favorable». En plus d'être maniaque il était superstitieux. Mais cette fois, de façon imprévue, il obtint, sans le demander, le soutien inconditionnel de ses soeurs.

«Tu n'as pas senti, toi ?» demandaient-elles à leur mère. Elles pouffèrent de rire.

«Senti quoi ?» s'indignait-elle encore.

«Ta Madame Bolduc pue. La maison aussi. Cela pue le renfermé, le gâté, le pourri. Parlons-en de ses biscuits. Rances. Le thé: du pipi de chat. Les napperons: ils ne sont pourtant pas en laine et elle les conserve dans le camphre. Elle, ta chère vieille amie, malgré ses flacons de parfum étalés un peu partout, ses crèmes, ses lotions, chez elle comme sur elle, cela sent le vieux.»

Leur mère n'avait pas répliqué. Il savait qu'il n'y avait rien d'étonnant à ce silence de leur mère. Devant la clairvoyance et la lucidité narquoise des filles, elle s'inclinait toujours. Même s'il était le chouchou, le préféré, entre les trois créatures se dessinait souvent une alliance qui les exilait loin, à l'écart, son père et lui.

Son père en riait. «Ces dames sont en conclave. Il y a sans doute de graves décisions à prendre.»

Chaque saison donnait lieu à un autre concile. Les édits étaient bientôt suivis d'effets, plus ou moins spectaculaires. La maison était repeinte à neuf. Un autre système de chauffage installé. Des volets protégeraient la maison, l'été. Après leurs palabres, il était rare que tout ne soit pas bouleversé de fond en comble. Avec le souci de rendre la maison plus habitable, douillette, confortable. Leurs décisions lui semblaient plus importantes que celles que les hommes, à l'abri de leur bureau, prenaient. Rien de visible ou de concret n'en surgissait. Il le pensait sérieusement. Parfois, son père soupirait.

«Et l'argent ? Les frais ? Y avez-vous pensé? » Charmantes, elles jouaient leur rôle, s'en remettaient à lui qui «faisait tourner le moulin», en habile meunier qu'il était. Son père, vite flatté, abandonnait le terrain. Il reconnaissait bien volontiers que son lumbago le faisait moins souffrir depuis que de nouveaux matelas, durs et confortables à la fois avaient remplacé les anciens, pleins de bosses et de trous. Elles couraient les soldes, revenaient heureuses et animées avec des brassées de linge quand la saison de blanc battait son plein, des fourrures par les mois de juillet-août les plus chauds. Il fallait bien avouer que leurs choix étaient judicieux. Il y avait de tout en abondance, chez eux. Tout avait l'air frais, neuf, pimpant. Les «ménages de printemps» revenaient souvent, lui semblait-il. Là, il pouvait respirer à l'aise. Chaque chose avait son odeur, franche, naturelle. On n'utilisait pas, chez eux, des détergents sophistiqués, des vaporisateurs contre les odeurs de cuisine ou de tabac.

«Il suffit d'aérer.»

En entrant, on était saisi par l'arôme de la soupe au légumes en train de mijoter. De la tarte aux pommes qui dorait au four. Sa mère ne jurait que par les recettes de l'ancien temps.

Que dirait-elle, aujourd'hui ?

Pour lui, l'ancien temps, le temps heureux, était délimité par la vie de sa mère. Sa mort y avait irrémédiablement mis fin.

Avant et après.

Avant, il était le fils de sa mère. Elle s'occupait de lui avec une infatigable ardeur, malgré les conseils paternels, de plus en plus nuancés avec les années, il faut l'avouer. Elle lui avait tout appris et donné, lui enseignant à lire et écrire avant de se résigner à le conduire en classe. L'école fut choisie avec soin. Sa mère ne ratait pas une réunion de parents. Elle devait avoir semé la terreur chez les professeurs. Sans histoire ni l'alibi d'un certificat médical, on l'exemptait de culture physique. On acceptait ses absences répétées tout au long de l'année, dès qu'une «tempête» aurait pu éclater.

«Vous comprenez, avec son coeur.»

Elle laissait la phrase en suspens. Il contracta une impressionnante série de maladies contagieuses enfantines. Ses soeurs, grâce à lui, attrapaient rougeoles et coqueluches, mais «atténuées» prétendait leur mère. Effectivement, ses maladies à lui étaient plus spectaculaires. Les quintes de toux le laissaient hagard et épuisé. La fièvre montait de façon alarmante. Sa mère, à son chevet, ne «vivait plus tant qu'il n'était pas sorti d'affaire.» Elle l'en sortait toujours. Quelquefois il délirait. Alors, il ne reconnaissait plus rien ni personne et sa panique était absolue. On lui faisait des enveloppements glacés, des sinapismes. Quand la fièvre baissait, il savait, sans même avoir à ouvrir les yeux, qu'elle était là. Une buée de fraîcheur émanait d'elle. Elle sentait bon le lilas.

Aujourd'hui encore — et quoi qu'on prétende, on n'oublie rien avec l'âge — il lui suffisait de fermer les yeux, de se concentrer, pour retrouver le goût de sa peau, une peau très blanche et fine. Ses trois enfants se battaient pour l'embrasser, tous à la fois, avant de se coucher. Elle riait, se débattant, pour la forme: «Assez. Vous allez m'user.» Elle était fière d'être ainsi entourée. Elle en profitait pour redire: «De l'eau froide. Et du savon. Voilà mon secret.»

Ronde et robuste. Alerte. Gaie. Elle pouvait et savait rire d'un rien. Avec ses filles, cela n'en finissait pas. Ses filles, mariées tôt, selon son désir. Elle connut ses petits enfants, les baptêmes, dragées, jeux, chansons. «Ainsi font-font-font». Les bébés riaient avec elle en agitant leurs menottes.

«Et toi ? Qu'attends-tu ? Je ne suis pas éternelle. Ni égoïste. Va chercher une bonne fille fraîche et en santé. » Il n'en avait jamais trouvé.

Sa mère se désolait. «Je t'ai mal élevé. «Mon vieux» n'aura pas la chance de m'avoir pour lui seul quelques années ?»

Son père haussait les épaules devant ces enfantillages.

À soixante-trois ans, en décorant le Saint-Honoré pour le baptême de son sixième petit-fils elle tomba. On la traîna sur son lit. Toujours fraîche, le visage lisse et rond, les mains encore pleines de sucre et de crème. Elle était morte en quelques minutes. Le médecin ne put que le constater.

«Une si belle mort» s'exclamait-elle quand on lui en rapportait de semblables.

Pour lui, tout s'écroula. Pour son père aussi, durant quelques mois. Ses soeurs s'occupèrent de tout, respectant les routines et menus de la maison. Elles veillaient sur eux, à tour de rôle. D'autres enfants, à leur charge. De vieux enfants, empêtrés, maladroits, qu'elles avaient appris à «servir et à respecter».

Après deux ans de deuil, son père se remaria. Avec une femme beaucoup plus jeune que lui mais sèche et déjà ridée, à la voix rauque. Elle fumait comme un sapeur et ses doigts étaient tachés de nicotine. Il fut heureux de s'en aller, de ne pas voir le désordre envahir le royaume de son enfance. «On» ne chercha pas à le retenir.

Ses soeurs lui trouvèrent un petit appartement neuf dans un quartier «salubre» de banlieue. Elles l'aidèrent à emménager, remplirent, à craquer, son réfrigérateur. Elles le forcèrent à acheter un congélateur. Il ne se passait pas de semaine sans qu'elles s'occupent à le «maintenir à flot». Ses neveux et nièces prirent la relève pour s'occuper de leur oncle. Aujourd'hui encore, malgré le temps écoulé, il demeure le frère aîné, fragile, inapte à survivre, attendrissant de faiblesse, avec ses manies érigées en système de valeurs. Sa mère a réussi à les convaincre qu'elles doivent en prendre soin comme de leur propre progéniture. Ses «petites soeurs», déjà avancées dans la soixantaine continuent donc à veiller, décider pour lui.

Elles comme lui paraissent devoir vivre éternellement. Son père mourut à plus de quatre-vingts ans et sa nouvelle veuve en profita pour vendre la maison et partir aux ÉEtats-Unis, loin dans le Sud.

Bon débarras. Il évitait de passer par leur ancien quartier. Il travaillait toujours, à sa façon méthodique et maniaque, dans la quincaillerie de son beau-frère, s'absorbant dans sa tâche. Il adorait les corvées les plus ennuyeuses. Les inventaires réglementaires lui offrent une sensation de bonheur. Le voilà enfin efficace, à sa place, capable, s'il le faut, de retrouver un sou ou un clou.

On le citait en modèle à ses neveux, qu'il avait beaucoup «gardés» quand ils étaient petits. Malgré sa répugnance, il les avait changés quand il le fallait absolument. Malgré son horreur pour les «mauvaises odeurs», son dédain méprisant pour les «contingences existentielles», il était capable de leur mettre une couche propre, presque adroitement. Sans s'évanouir à cause des relents d'ammoniaque ou devant les diarrhées vertes. Il pouvait même en faire des descriptions cliniques de la plus grande précision. Ses soeurs n'en revenaient pas et s'étonnaient, discrètement, entre elles.

«Ces bobos de bébé n'ont rien de répugnant, je vous assure», leur confirma-t-il un jour.

Pourtant, avec les années, il était devenu de plus en plus maniaque. Son obsession de la propreté, de l'hygiène l'empêchaient littéralement de vivre en société. Bien sûr, il mangeait chez ses soeurs, mais il évitait les restaurants. Il ne voyait ses amis qu'en dehors des heures de repas. Il avait toujours été d'une propreté maniaque. Cela allait en empirant. Il rinçait les bouteilles d'eau minérale avant de les ouvrir ou les mettre au frais. Il lavait dix fois une feuille de salade. Il mangeait d'ailleurs de moins en moins de crudités. Il évitait aussi les charcuteries et les viandes grasses. Quoique économe, il n'achetait que dans les magasins de luxe comme si le prix des aliments était une garantie de fraîcheur et de pureté.

Les produits d'entretien firent son entrée chez lui — comme si le savon de Marseille et l'eau fraîche n'étaient pas suffisants pour endiguer «l'odeur».

Ses soeurs, étonnées, reniflaient à leur tour, en entrant chez lui. Tous les produits annoncés à la télé garnissaient sa cuisine. L'odeur d'eau de Javel luttait contre les poudres citronnées pour éviers et lavabos. Les désodorisants aussi avaient gagné.

Méticuleux à l'extrême il s'était toujours gardé très propre et «soigné». Cela tournait à l'obsession. Il avait des poudres, crèmes, gargarismes. Après chaque repas, il se précipitait sur sa brosse à dents. Les glouglous interminables suivaient. Il se brossait les ongles avec frénésie. Il mettait à tremper ses caleçons, chaussettes. Il en changeait deux fois par jour. Il faisait la fortune du petit teinturier du coin, car il ne portait jamais deux fois le même costume. Et pourtant, à toute heure, il pouvait retracer, sur lui, «l'odeur», inexpugnable comme la tache de sang de Lady Macbeth que «tous les parfums d'Arabie ne sauraient dissimuler», comme vous le savez. Odeur de vase, de marécage. Il n'était pas encore chauve, ni édenté, comme le héros de Garcia Marquez. Pour cela, il dépensa des fortunes chez son dentiste. Ses dents et gencives ne l'avaient pas encore «lâché».

Mais ses soeurs — qui ne faisaient pas tant d'histoires et avaient mis au monde tant d'enfants — pouvaient encore arborer des sourires éclatants et naturels. Sa calvitie n'était que récente, et circonscrite au sommet de son crâne. Il se lavait les cheveux avec soin. «Rien de plus salissant que des cheveux blancs.» Il se les passait au bleu, s'imaginant que personne ne s'en apercevrait.

Et malgré tout, «cela» avançait. Quoi, cela ? Qui, cela?

Il ne le savait plus. Il l'avait pourtant toujours su. La fragilité d'être humain et périssable. Voué à la destruction inéluctable. Sa «mauvaise santé», cette faiblesse cardiaque diagnostiquée trop tôt lui avait permis d'échapper à la loi de l'espèce. Il avait gardé, pour lui seul, le germe de la mort. En ces années de promiscuité générale, il était demeuré, chastement, à l'écart. Pusillanime, certes, mais chaste aussi — car il lui avait fallu de la vertu pour résister à la pression générale. Pour résister seul au poids toujours plus accablant de l'angoisse. Par éthique, par respect envers la femme inconnue qui aurait pu continuer l'entreprise de sauvetage maternel, il décida de rester seul. De ne pas imposer à autrui le poids de cette meule qui l'écrasait, de cette meute qui le traquait, de nuit comme de jour. Voilà que la chaleur s'était levée sur Montréal, une chaleur torride et humide. Pas un souffle d'air. Il suffoquait. La sueur lui piquait les yeux. Même dans un bain tiède, son corps demeurait brûlant.

«Il ne faut pas rester à Montréal, l'été.» Son médecin, ses amis, ses soeurs avaient insisté. Comment avouer sa terreur de passer une nuit hors de chez lui ? Au milieu de ses meubles, de ses affaires, comme autant de paratonnerres contre la terreur, il lui semblait plus facile de «voir venir». Et voilà qu'avec la chaleur accablante, de partout, contre les vitres ou montant des tuyaux, des cohortes d'insectes partaient à l'assaut de son refuge.

Il y avait les fourmis. Minuscules, heureusement. Les éphémères, qui s'écrasaient en bouillie contre les vitres. Les grands papillons de nuit qui — profitant de la moindre fenêtre ouverte pour tenter d'établir un courant d'air — venaient battre de l'aile contre les lampes. Cela le remplissait de terreur et de dégoût. Avec sa bombe insecticide, il pourchassait cette vermine, se moquant, pour une fois, des allergies que cela déclencherait inévitablement chez lui. Il préférait éternuer pendant des heures que guetter, fébrilement, leur passage fantomatique. Armé d'un journal, il courait, frénétiquement, pour tenter d'arrêter cette funeste invasion. Il se moquait de lui-même comme d'un autre Tartarin, mais ne pouvait se résigner à se coucher, dans le noir, avant d'avoir réduit le dernier à néant.

Et il rêvait de l'hiver prochain, avec la venue du grand froid âpre et dur et cette couche de glace protectrice qui ensevelirait tout. L'air — enfin vivifiant — soufflerait avec ardeur, chassant jusqu'aux derniers parasites. Il avait hâte de les accueillir: le soleil brillant dans le ciel bleu acier, la neige fraîchement tombée, et le coup de fouet nécessaire, le sursaut vital que les premiers froids amenaient toujours avec eux. Les corps mous de l'été, alanguis, comme du linge froissé d'avoir été trop longtemps essoré, se redressaient alors, charitablement enrobés dans des vêtements raides, comme des armures, camouflant les lésions du corps rendu à bout. Pour se faire plaisir et se rassurer, dans la chaleur gluante de la nuit, il chercha dans son placard la toque de fourrure en vison de son père qu'il gardait depuis sa mort, en souvenir. Il se l'installa «crânement» sur sa tonsure et se promit de la porter, dès décembre. Et l'été prochain, malgré ses théories et préjugés, il ferait installer un climatiseur dans sa chambre.

Chacun se meurt pour parler

Elle les entendait encore, dans la torpeur du premier demi-sommeil. Une trépidation rageuse la saisissait alors. À l'abri, dans le noir presque complet de sa chambre, cette rumeur la poursuivait. D'avoir entendu tant de paroles, doléances diverses, ses oreilles s'entêtaient à répercuter ces refrains répétitifs, absorbés durant la journée. Elle en acquit la certitude absolue: chacun se mourait pour parler. Raconter n'importe quoi — mais faire passer, en mots, ce mal à l'âme, ces douleurs du corps assez anodines pour éviter l'opération, l'amputation, mais irritantes à l'excès. Sous le plus futile prétexte, ils communiquaient leur angoisse au «médecin de famille». Il a adoraient «aller au docteur». Pourquoi se priver ? Les consultations étaient gratuites. Lui, le pauvre, paraissait toujours aussi désargenté dans son cabinet, mal éclairé, mal meublé.

Un «vrai médecin d'autrefois». Ils le célébraient, entre eux, dans la salle d'attente. Toujours remplie, la salle d'attente. On y attendait, longuement, son tour. Elle les soupçonnait d'être heureux du délai. Cela augmentait peut-être l'intérêt de cette halte consacrée à leur existence. Sortie hors de la routine du travail quotidien. En vain, elle essayait de planifier des horaires raisonnables. Il se débrouillait pour enchevêtrer les rendez-vous les mieux agencés. La liste était longue des malades qu'il lui interdisait de remettre à «plus tard».

«Quand l'angoisse saisit la vieille madame Martin, il serait honteux de la faire attendre plus qu'un jour ou deux. Vous m'entendez, mademoiselle ? Cela ne serait pas raisonnable. Quand elle se met dans tous ses états, comme elle dit, je dois forcer ses doses de tranquillisants.» Il tentait de la mettre de son côté en rationalisant des conduites qu'elle jugeait aberrantes.

Désormais, les vrais malades avaient fui son cabinet. Il lui restait les «chroniques». À force d'en voir passer, elle finit par comprendre. En cette époque de spécialisation à outrance, il avait choisi d'apaiser les anxieux. Maintenant qu'ils «n'allaient plus à confesse» régulièrement, ils venaient s'épancher chez lui.

Malgré elle, sans en perdre un mot, elle les entendait. Les cloisons étaient minces, entre son petit local, à l'entrée, la salle d'attente et son bureau à lui. Presque mot pour mot, ils répétaient la même version de leur «cas». Elle riait en s'apercevant que les descriptions étaient souvent plus rigoureuses et détaillées, pour le public de la salle d'attente que pour le médecin. À lui, ils n'avaient plus besoin d'expliquer leurs symptômes. Pourtant, il les encourageait à parler. Cela faisait partie de la cure. Ils parlaient donc — de tout et de rien — repartant avec leur ordonnance, friandise accordée à un enfant sage.

Sur le seuil, immanquablement, ils se souvenaient du détail important, oublié, qui les avait forcés à consulter.

Il les rassurait, confirmait qu'ils avaient bien fait de venir, qu'ils n'hésitent surtout pas à le consulter à la moindre anicroche.

Déjà, elle s'apprêtait à faire entrer le prochain malade. Ce goût pour la «consultation» était également partagé entre hommes et femmes. Les femmes plus nombreuses, peut-être, mais dans le fond, moins anxieuses que leurs compagnons. Eux, c'était la mort qu'ils cherchaient à conjurer. Elles, quémandaient une dose d'attention, de compréhension. Il jouait bien son rôle. Il les «grondait» pour chaque kilo surajouté, les félicitant chaleureusement pour la perte de quelques grammes. Il paraissait comprendre ces malaises, lourdeurs, chaleurs, allergies et nausées qui leur gâchaient la vie.

D'un commun accord il avait été entendu qu'elle ne «consulterait» pas chez lui, mais resterait fidèle à son vieux médecin, bougon, bourru, qui la suivait depuis l'enfance. Chez lui, au moins, cela ne traînait pas. Pas question de se répandre en lamentations. Une auscultation rapide. «Tout va bien, n'est-ce pas ?» C'était une affirmation plus qu'une question. Oui, tout allait, sauf l'essentiel. Elle avait tant ri des manies des malades, qu'elle ne pouvait s'avouer qu'elle aussi, parfois, «se mourait pour parler».

Elle aussi commençait à ressentir ce désir, ce besoin d'évoquer longuement ce qui «n'allait pas». On la réduisait vite au silence. Il y avait les sujets classiques, que chacun avait le droit de traiter, et «les autres». Elle devait choisir, avec un instinct infaillible pour l'échec, ce domaine réservé et tabou: celui des peurs et sentiments inavouables. Si on se mettait à parler «pour vrai», tout s'effritait, s'écroulait.

Ainsi, il était anodin d'évoquer des problèmes de digestion, palpitations, insomnie. On pouvait en relater les symptômes avec un luxe inouï de détails. C'était admis. Mais comment, après s'être fait rabrouer à maintes reprises, oser évoquer la vraie peur de la vieillesse, l'inflexible et solitaire vieillesse des célibataires. Cette impression de déchéance, d'inutilité, qui la saisissait de plus en plus souvent, avec le passage des années et des «espérances».

Certaines de ses amies, tôt et mal mariées, avaient la dent longue. «Tu as choisi, pas vrai?»

Elle n'avait pas l'impression d'avoir choisi ni décidé quoi que ce soit. Juste une erreur d'aiguillage — au mauvais moment. Encore heureuse de ne pas entendre le «Tu t'es choi-

Quand elle voulait se remémorer, à voix haute, la saga de ses parents, braves gens, dévoués et graves, économisant sou à sou pour payer les études de leurs enfants, acheter une maison avec jardin, vivant de peu, à l'écart des bruits du monde, elle se faisait rabrouer.

Il était de mauvais goût, aujourd'hui, de rappeler ces temps de grande noirceur où la vertu était si exemplaire et éclatante qu'on ne la mettait même pas en doute. Jamais ses parents ne la harcelèrent de questions. Une fois pour toutes, ils déclarèrent qu'elle était «une bien bonne fille». Ils acceptèrent, avec simplicité, qu'elle s'installe à leur chevet d'invalides.

Elle les avait bien soignés, sans effusions, de part et d'autre. Aujourd'hui, elle se torturait à l'idée que, peut-être, ses parents aussi se «mouraient pour parler». Mais ils étaient d'une génération qui ne se serait jamais payé ce luxe, cette indécence. On ne parlait pas de ses «bobos». On se tenait droit. On ne reprenait pas deux fois du dessert. Pas de vague à l'âme. Pas question de dépression, déprime ou autres fadaises. On faisait son devoir, un point, c'est tout. Ils avaient dû considérer qu'elle faisait le sien quand elle renonça à sa vie personnelle pour monter la garde, auprès d'eux, devenus incapables de se «débrouiller». Depuis toujours, sa mère faisait d'énormes lessives, les plus rudes travaux. De toute sa vie elle n'avait osé s'octroyer le luxe obscène d'un taxi, même quand elle revenait, chargée, épuisée d'avoir couru les «aubaines». Tant qu'elle avait été valide, elle refusa de se «faire aider». Son père tondait fièrement le gazon, l'été, pelletait la neige, à l'entrée, dans l'allée, durant les hivers les plus rudes.

Ils étaient morts comme ils avaient vécu, bravement. Après avoir vu le curé, le notaire.

À son grand étonnement, ils lui avaient tout laissé: «À notre benjamine, qui a pris soin de nous, avec dévouement, jusqu'à la fin.» Ses deux frères, sa soeur, tentèrent de masquer leur dépit à la lecture du testament. Mal à l'aise, elle insista pour partager meubles, linge et bibelots. Ils firent front, contre elle.

Puisque les parents n'avaient pas procédé à un partage équitable, ils respecteraient leur volonté sans se laisser amadouer par des «broutilles». Il n'y eut pas d'autre explication.

Le silence s'installa. Peu à peu, ils «oublièrent» de l'inviter à Noël, de lui annoncer naissances et baptêmes. Elle en souffrit, refoula cette déception. Non, de cela elle ne se «mourait pas pour parler». Ces balzaciennes histoires de gros sous et d'héritage auraient intéressé ses amies: les achats de maisons, d'appartements, de placements à gérer pouvaient être abordés en toute quiétude. Cela faisait partie des sujets permis. Elle s'était contentée de rester là, chez eux, sans rien changer, moderniser, redécorer. Gardienne fidèle, vestale idéale et idiote, vivant à l'étroit dans deux pièces de cette grande maison, ruineuse en taxes et chauffage.

Parfois, quand elle devenait folle de solitude, elle s'imaginait qu'ils étaient là, paisibles, échangeant à voix basse des propos anodins.

Elle s'amusait à inventer des scénarios à ce sujet, reconstituant des dialogues, où père et mère parlaient d'elle avec tendresse, inquiétude et ferveur. Ce qui ne fut jamais exprimé entre eux, en mots, elle croyait désormais l'entendre. «Je dois devenir folle.»

Elle obtint un rendez-vous chez une psychologue. Une fois calée dans un fauteuil, face à cette jeune femme qui la pressait de s'exprimer, elle ne sut que bredouiller. Comment oser lui dire: «Je me meurs pour parler» quand pas un mot ne lui venait. Elle ressentait son mutisme comme une déplorable infirmité.

Elle finit par s'arracher cette phrase: «Je suis si seule que je me parle, parfois, à voix haute, pour conjurer la peur et le silence.» Elle n'osa pas dire qu'elle entendait des voix, depuis peu. «L'autre» la croirait folle, la ferait enfermer.

«L'autre» eut la sagesse de banaliser ses propos. «C'est très fréquent, croyez-moi.»

Elle l'incita à sortir, faire du sport, s'impliquer dans des causes ou organisations de bienfaisance.

«Pourquoi pas un oiseau, un chat ou un chien ?»

«Ce serait excellent, en effet.» L'ironie avait été perdue. Comme les cinquante dollars de la consultation. D'un commun accord, elles évitèrent de fixer un autre rendez-vous.

Expérience concluante. Elle se mourait pour parler, mais pas à une «professionnelle de l'écoute». Quand la terreur montait, elle songeait à S.O.S. Suicide ou Amitié, à ces gens qui l'écouteraient crier, ressasser ses malaises. Ils faisaient ce travail bénévole, louable, sûrement pas anodin, car il devait leur apporter une «prime de plaisir» difficile à évaluer.

Elle fut tentée de s'y impliquer. Après tout, elle avait une longue expérience dans ce domaine. Une nausée la saisissait à l'idée de prolonger ses heures de bureau par ce bénévolat dont le caractère artificiel ne lui échappait pas. Ersatz étonnant de cette nouvelle société d'abondance. Seuls les nantis, les repus pouvaient songer à ces «remèdes de fortune».

«Je parle pendant deux heures, anonymement, gratuitement et clac, quand j'ai fini, tout rentre dans l'ordre ou dans le noir.»

Dans le métro, l'autobus, les panneaux-réclame étaient nombreux pour signaler les dangers et possibilités d'éviter le gouffre de la dépression. Il lui semblait qu'il n'y avait jamais eu autant de créatures «dérangées». Il était rare qu'elle n'en rencontre pas, dans les autobus du centre-ville. Des ivrognes, mais aussi de vieilles dames, vêtues de noir, à l'allure «convenable». Elles marmonnaient avec férocité, sur un rythme hallucinant. Parfois des mots obscènes ou des injures leur échappaient.

D'étranges créatures dont le sexe ou l'âge étaient difficiles à cerner se dressaient d'un air vengeur, brandissant un livre de prières, clamant des noms de prophètes, annonçant des châtiments célestes, imminents.

Tout cela dans l'indifférence totale des voyageurs, regardant pudiquement par la vitre pour éviter de poser le regard sur eux.

Tant d'êtres qu'il fallait éviter de regarder, désormais. La population avait subi une extraordinaire mutation, depuis peu. Dans les couloirs du métro une faune exotique pour elle avait pris place. Des jeunes ou des vieux, elle ne savait pas ceux qui la terrifiaient davantage. Les jeunes, bariolés, moulés dans des vêtements séduisants, avec des coiffures sculptées, nattées, jetant des reflets électriques, du mauve à l'orange. Les vieux, déguisés en épouvantails, traînant dans des sacs à demi éventrés des victuailles, comme s'ils sortaient d'un récent exode. Vieilles femmes, maquillées et fardées à l'excès, et vieillards, aux longues barbes blanches, faux Pères Noël redoutables.

Le monde entier soudain avait déversé son trop-plein de réfugiés. Réfugiés de la faim, de la mer, de la misère, de l'oppression politique. À Atwater, à Guy, à Berri-de-Montigny, elle se croyait dans une autre Babel. Plus personne ne parlait sa langue, mais cela chantait et dansait sur les quais. Refrains langoureux ou rythmes de jazz frénétiques. Et de discrètes pancartes pour rappeler que le concert n'était pas gratuit. Elle ne savait à qui donner. Et finissait par ne rien donner du tout. Comment décider entre l'aveugle, avec son énorme chien féroce, le sourd-muet agité, le paralytique aux crayons. Parfois, de très beaux adolescents, blonds et propres, assis par terre, arboraient une pancarte annonçant qu'ils étaient au chômage et n'avaient pas mangé depuis la veille. Elle regrettait les classiques ivrognes de son enfance, mendiant des cennes «pour acheter du pain», dont on ne savait que trop bien qu'il se transformerait en bonne bière mousseuse à la taverne du coin. Ceux-là, du moins, on pouvait se consoler en pensant qu'ils «l'avaient bien cherché» et que les vapeurs de l'ivresse leur apportaient quelque réconfort. Rien de comparable à ce flot misérable et pressé, intense et frénétique, courant dans les corridors, traînant derrière eux deux ou trois enfants en bas-âge, s'engouffrant dans la rame du métro comme si leur vie en dépendait... Cela lui causait une angoisse telle qu'elle hésitait souvent à descendre sous terre. Elle préférait emprunter un itinéraire compliqué en autobus, ou marcher à l'air libre, pour éviter le contact de cette descente aux enfers. Parfois, elle se lançait un défi. Ses parents lui avaient appris à ne «pas s'écouter». Elle s'installait sagement sur le quai, le plus loin possible du bord, essayant de trouver un siège libre pour attendre, car, debout, il n'était pas rare qu'un vertige la saisisse. Comment décrire ce vertige ? Elle essayait d'analyser les symptômes. La sueur dans le dos, les jambes molles et cette affreuse certitude que là, derrière elle, on cherchait à la pousser sur les rails. Un jour de rage, elle se retourna brusquement. Elle ne vit qu'une très vieille dame, entièrement déformée par l'arthrite, marchant à petits pas, qui lui adressa un timide sourire, comme pour s'excuser de l'avoir effleurée. La honte aidant, elle se proposa pour l'aider. Mais, le plus souvent, attirée par le vide, le bruit trépidant du métro entrant dans la station, elle se tenait à l'extrême limite, près du bord, fascinée par la possibilité de basculer en avant. Une brusque et solide torsion des reins — comme on le leur avait appris autrefois aux séances de gymnastique — et le tour serait joué. Si facile. Si simple.

Quand elle montait dans le wagon, son supplice n'était pas terminé pour autant. On semblait prendre plaisir à y placarder les affiches du ministère de la Santé. Toutes les maladies et organes étaient représentés: le poumon, le coeur, les reins, l'arthrite, le cancer. Vite, vite, il fallait donner. Pour aider la recherche, accélérer l'effort de guerre contre les polluants portant atteinte à la «qualité de la vie», tabac, alcool, drogue.

À tout prix, il fallait combattre ces fléaux. Elle se rappelait avec nostalgie des commerciaux d'autrefois: «les petites pilules rouges pour les femmes pâles», ou «la Quintonine donne bonne mine».

Aujourd'hui, c'était la bourse ou la vie ! Et la bourse ne suffisait pas. Il fallait participer, «jogger», courir, s'écouter battre le coeur, surveiller son taux de cholestérol, l'état de ses artères.

Quand, pour se distraire, elle achetait une anodine revue féminine, où, autrefois, les recettes de cuisine voisinaient avec les courriers du coeur et conseils de beauté, le harcèlement moral continuait. À pleines pages, on proposait de combattre la torture, vaincre la famine dans le monde, ou d'adopter, pour une somme mensuelle, dérisoire, une ravissante enfant du Tiers-Monde. Photo à l'appui. L'éclat des premières dents de lait rivalisait avec les grands yeux sombres remplis de larmes. Tous les pays du globe connaissaient d'effroyables guerres et luttes fratricides. Quand ce n'était pas la guerre qui rageait, la nature se déchaînait. Tornades, tremblements de terre, volcans en ébullition.

Toutes les oppressions, spoliations. Elle signait des pétitions, envoyait de petits chèques, à gauche et à droite. Ses parents, eux, avaient fidèlement payé la dîme. Sans trop se poser de questions, lui semblait-il.

Mais ils étaient pieux. Pratiquant une religion modérée qui s'accommodait de la messe dominicale et du respect du carême. Le reste de l'année, leur conscience les laissait en paix.

Elle ne connaissait plus le repos. Avec qui parler de l'état du monde et des devoirs des citoyens ? Personne, autour d'elle, ne grelottait d'angoisse à l'idée de l'apartheid en Afrique du Sud, ne sanglotait de l'abandon des enfants autistiques dans des crèches mal tenues.

Durant ses longues nuits d'insomnie, elle cherchait des solutions. Elle ouvrirait sa maison, accueillerait des mongoliens, des grabataires, des délinquants. Qui choisir ? Comment s'y prendre ? Elle avait perdu la foi, voilà longtemps. Seul un couvent, un cloître aurait pu lui convenir. Une cellule, minuscule, des repas frugaux, une robe de bure. Et des prières incessantes, de l'aube à la nuit. En faveur de tous ceux qui, de par le monde, avaient besoin qu'on les aime.

Mais l'amour, l'amour de Dieu, la certitude que sa création avait été accomplie pour le plus grand bien de l'humanité, elle ne pouvait l'éprouver. Où était ce Dieu qui laissait faire tant d'atrocités, s'accomplir tant de génocides ? Au milieu du terrorisme grandissant, de la montée des fanatismes, seules de nouvelles guerres de religion avaient surgi, comme de vénéneux champignons.

Et son envoyé sur terre, à ce Dieu, ce pape polonais globe-trotter, se propulsant aux quatre coins de la planète avec un rituel grotesque — déchaînement de foules hystériques et homélies réactionnaires proférées avec infaillibilité — avait le don de la rendre folle de rage et de haine. Alors, oui, elle se mourait pour parler. Même en serrant les poings — et les dents — bouche close, elle sentait monter en elle un flot irrépressible d'injures.

À tout prix, tant qu'elle le pouvait, elle cherchait à calmer cette fureur. Bouche cousue. Mais elle criait, la nuit, dans son sommeil. Elle grinçait des dents. Elle pouvait à peine desserrer les mâchoires, au matin. Même ses mains avaient peine à se déplier tant elle avait dû serrer les poings, en dormant, durant ces quelques heures de sommeil agité. Il lui fallait du courage pour arriver à «se secouer», faire les quelques gestes rituels et nécessaires avant de partir travailler. Si elle s'était «écoutée», elle se serait réfugiée, à nouveau, sous les couvertures.

Elle se parlait, à mi-voix.

«Tu t'écoutes trop, ma fille. Secoue-toi.» Elle se secouait donc, prenant des douches écossaises, se forçant à avaler du gruau. Sa tension nerveuse était si grande qu'elle n'aurait pu avaler une bouchée de pain sans s'étouffer tant sa gorge était nouée, douloureuse. Cela dura des semaines. Elle réussit à se convaincre qu'elle vivrait désormais comme une huître. Hermétiquement refermée sur elle-même. Ancrée solidement sur son rocher-refuge. Une vulgaire huître où aucun grain de sable ne réussirait à s'infiltrer, où aucune perle ne se formerait en sa coquille.

«Vous n'avez pas l'air bien, mademoiselle Dumont.»

De surprise, elle eut envie de nier, faire front, l'agresser à son tour. La journée était finie, le dernier malade parti. Il lui fit signe de s'installer dans son bureau.

C'était à son tour de parler, de prendre place dans la cohorte des malades.

Elle eut la force de sourire: «Docteur, vous allez me prescrire deux semaines de repos ?»

Mais elle était à bout de force, soudain. Et elle parla. Sans perdre souffle, elle parla en lui jetant à la tête ce qui l'étouffait, lui ôtant tout courage et envie de vivre.

Et il semblait l'écouter — avec patience et intérêt — sans l'interrompre ni prodiguer de conseils.

Quand elle eut fini, elle était épuisée, mais soulagée.

Il lui prescrivit des euphorisants. En la reconduisant à la porte, comme il le faisait pour les «vrais malades», il insista: «À demain, comme d'habitude. Nous reparlerons de tout cela plus tard.»

Dans la rue, elle respirait mieux. Elle mourait de faim. Elle s'engouffra dans le petit restaurant du coin, mangea enfin avec appétit. Elle savait qu'il lui trouverait des «bonnes oeuvres» à accomplir auprès de ses malades les plus démunis. Pourquoi pas, après tout ? Pourquoi chercher, dans les pays lointains, des malheureux à consoler alors qu'ici la ville en était pleine.

Repensant à son entrevue avec la psychologue, elle se jura de n'acheter ni canari, chien, ou chat.

Elle se connaissait assez pour savoir qu'un oiseau en cage lui arracherait le coeur par son chant, ses battements d'aile contre les barreaux. Et elle se savait assez folle pour aboyer avec le chien, miauler avec le chat aux heures de profonde déprime. Mais d'un pas décidé, elle entra s'acheter un superbe aquarium et quelques poissons rouges. Elle pourrait les regarder, jour après jour, dans le silence. Avec leurs gueules grandes ouvertes, avides et gloutonnes, mimant la parole, sans que jamais un son n'en sorte. Depuis l'enfance, elle avait été fascinée par ces poissons imbéciles, qui, sous l'eau, sans relâche, montraient qu'eux aussi se mouraient pour parler en tournant inlassablement en rond.

Collection l'Arbre

L'Aigle volera à travers le soleil	*André Carpentier*
L'Amour langue morte	*Solange Lévesque*
Avant le chaos	*Alain Grandbois*
Badlands	*Robert Kroetsch* traduction *G.A. Vachon*
Le Baron écarlate	*Madeleine Ferron*
Boomerang	*Monique Bosco*
La charette	*Jacques Ferron*
Clichés	*Monique Bosco*
Coeur de sucre	*Madeleine Ferron*
Contes (édition intégrale)	*Jacques Ferron*
Les Contes de la source perdue	*Jeanne Voidy*
Contes pour un homme seul	*Yves Thériault*
D'Amour P.Q.	*Jacques Godbout*
Dessins à la plume	*Diane-Monique Daviau*
Deux solitudes	*Hugh McLennan* traduction *Louise Gareau-Desbois*
L'Eldorado dans les glaces	*Denys Chabot*
Feux de joie	*Michel Stéphane*
La Fiancée promise	*Naïm Kattan*
La Fin des loups-garous	*Madeleine Ferron*
La fortune du passager	*Naïm Kattan*
Fragments indicatifs	*Jean Racine*
Les Fruits arrachés	*Naïm Katton*
Le Goût des confitures	*Bob Oré Abitbol*
Guerres	*Timothy Findley*
Histoires entre quatre murs	*Diane-Monique Daviau*
L'homme courbé	*Michel Régnier*
Les jardins de cristal	*Nadia Ghalem*
Juliette et les autres	*Roseline Cardinal*
Le Manteau de Rubén Dario	*Jean Éthier-Blais*
Le matin d'une longue nuit	*Hugh McLennan*
Une Mémoire déchirée	*Thérèse Renaud*
La Métamorphaux	*Jacques Brossard*
Lily Briscoe: un autoportrait	*Mary Meigs*
Mirage	*Pauline Michel*
Moi, Pierre Huneau	*Yves Thériault*
La nuit des immensités	*Huguette LeBlanc*
La Plus ou moins véridique histoire du facteur Cheval et de sa brouette	*Pierre Séguin*
Popa, Moman et le saint homme	*Jean-Paul Fugère*

Portrait de Zeus peint par Minerve — *Monique Bosco*
La Province lunaire — *Denys Chabot*
Quand la voile faseille — *Noël Audet*
Repère — *Joseph Bonenfant*
La Reprise — *Naïm Kattan*
Le Rivage — *Naïm Kattan*
La Route d'Altamont — *Gabrielle Roy*
Le Sable de l'île — *Naïm Kattan*
Rue Saint-Denis — *André Carpentier*
Sara Sage — *Monique Bosco*
La Séparation — *Jean Simard*
Les Soeurs d'Io — *Thérèse Bonvouloir Bayol*
Souvenirs de Montparnasse — *John Glassco*, traduction *Jean-Yves Souci*
Télétotalité — *Jean-Pierre April*
Le Temps brûle — *Marie-Claude Bourdon*
Le Temps sauvage (théâtre) — *Anne Hébert*
Théâtre: Deux femmes terribles
Marie-Emma
La vertu des chattes — *André Laurendeau*
Le Torrent — *Anne Hébert*
La Traversée — *Naïm Kattan*
Un Voyage — *Gilles Marcotte*